JN206962

ゆまに書房

書誌書目シリーズ126

第三巻

諸字類集成

――小山田与清『群書捜索目録』Ⅴ――

色葉集字類
本草和名字類

［監修・解題］梅田　径

凡例

一、本叢書は、国立国会図書館蔵『群書捜索目録』の中から、比較的小規模な語句・語彙索引八点一七冊を集成したものである。小山田与清編の古典籍索引『群書捜索目録』は、もともと水戸彰考館に所蔵されていた和書・漢籍・仏典の大規模な総合索引叢書であったが、原本は戦災で焼失した。その副本のごく一部が国立国会図書館に納められているに過ぎない。本叢書では、利用しやすいように『群書捜索目録』を再編集して復刻する。

一、本叢書の構成は、末尾に掲載した表の通りである。国立国会図書館では『群書捜索目録』全冊に通番を付しているが、復刻にあたってはその整理順を踏襲していない。

一、復刻に際し、各書の構造を反映した形で目次を付し、書名および見出し語について左の柱に、イロハ順の配列位置を右の柱を付した。各作品の解題は、第九巻の巻末に掲載した。また、書名については外題・扉題・内題より適切なものを選び、復刻上の統一書名とした。ただし、国立国会図書館の付した名称や番号を使用した場合がある。

一、本叢書においては、書名、人名等の漢字は、原則として通行字体に統一し、また人名、書名等も代表的なものに統一を試みた。

一、本書製作にあたっては国立国会図書館の許可のもと、新たに撮影されたデジタル画像を底本に利用した。

一、原本の書誌については解題に記した。字高などに配慮して適宜縮小や画像調整を施した場合がある。朱墨の別は濃度等で判断されうるものについては特に触れていない。

一、復刻の許可を賜った国立国会図書館、また原本の閲覧等で多く便宜を図ってくださった同古典籍資料室に御礼申し上げます。

〈全巻の構成〉

第一回（全五巻）

第一巻　「大八洲記標目」
第二巻　「八部字類抄　上」
　　　　「八部字類抄　中」
　　　　「八部字類抄　下」
第三巻　「色葉集字類」
　　　　「本草和名字類」
第四巻　「家筑三類語　上」
　　　　「家筑三類語　中」
　　　　「家筑三類語　下」
第五巻　「和名抄類字　上」
　　　　「和名抄類字　下」

第二回（全四巻）

第六巻　「令義解目録　一」
　　　　「令義解目録　二」
第七巻　「令義解目録　三」
　　　　「令義解目録　四」
第八巻　「歌学索引　一」
　　　　「歌学索引　二」
第九巻　「歌学索引　三」
　　　　＊解　題

第三巻　目次

色葉集字類　全

群書搜索目録　色葉集字類　全

色葉集字類　全

和歌色葉集三巻顕昭法橋のえらはれ
しなりといふはいのちありえんかれ
とも世にふるきとかいつたへんしつらね
すくなのうたにてうひそれ中のことと
めづらしくえらんあまいろはをしまを
くゐを二十て色葉集字類といふ
まうしい礼いの了阿大徳とをまをして
しいさゝ我乃中に記とつむ文化と

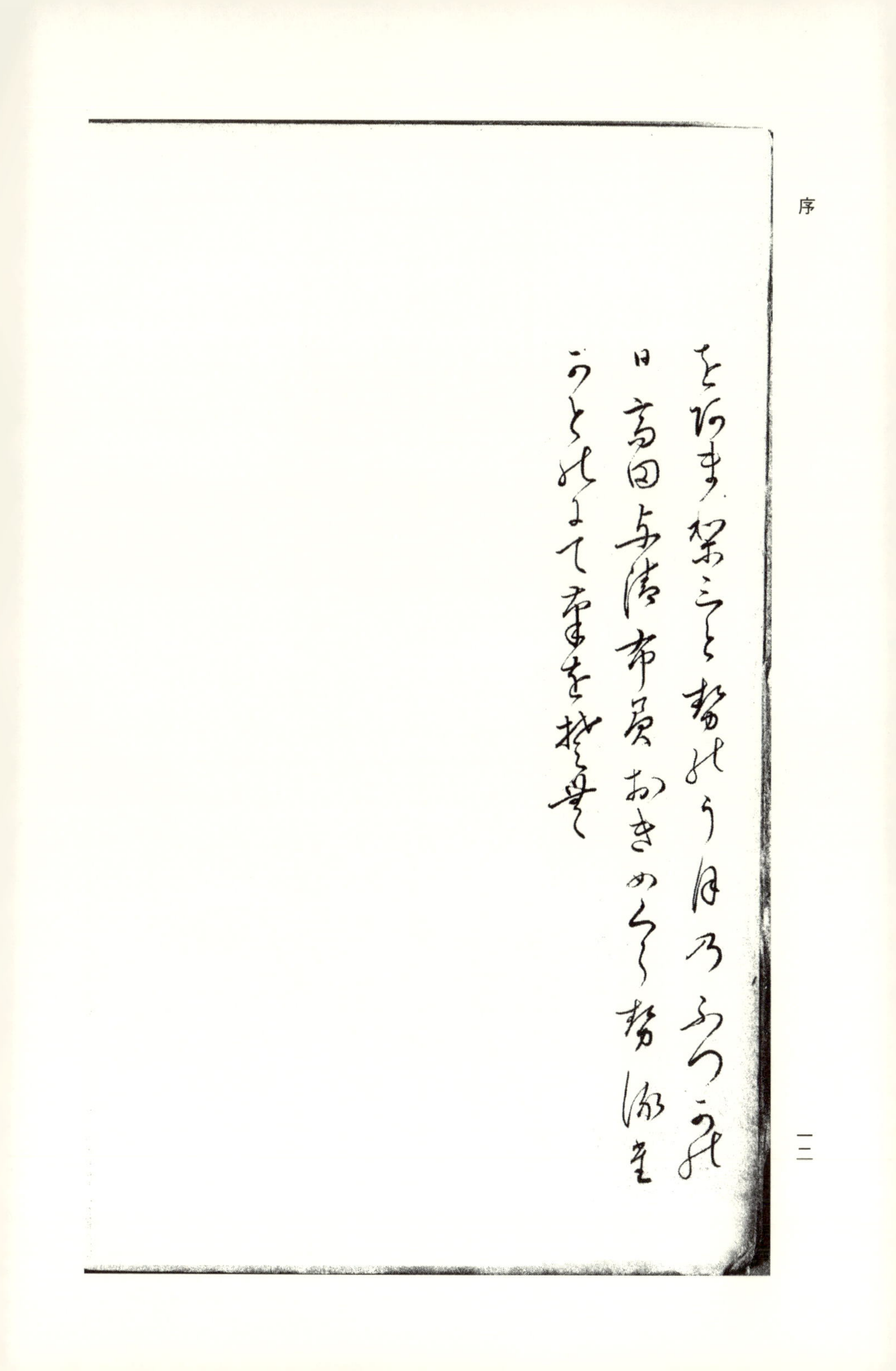

伊

いなせ細江　下三ノ十六オ

いなしき　男ぎし　中二ノ廿八オウ　同ノ廿九ウ

いなせともいひもはなれず　中三ノ十九ウ

いな舟　下ノ卅一オ

いなすご　上三ノ五オ

いなは風　同ノ一ウ

いなおほせ鳥　下ノ九オ

いなの野　橋ノ　同ノ廿二オ

いまゐる夜の茶　下ノ廿三ウ

いりや物語　上三ノ廿四オ

いり粟　同ノ二オ

岩代の結ひ松　下ノ廿七ウ

石清水　上三ノ二オ

岩垣　同ノ四ウ　中ノ十九オ

磐船明神　河内　中ノ廿二オ

岩おし巾　下ノ廿四オ。
岩ヽ波物語　上三ノ廿六オ
石見女髄脳　うれしきかた之　上二ノ四ウ
いはほ石　上三ノ八オ
岩根の松　同ノ二オ
いはね枕　同ノ四オ
いはこのまくら　同ノ二オ
いはしろ野　上ノ七オ
いはこのしま菱　上三ノ二ウ

伊豫守　上三ノ四オ
伊勢大神宮　中三ノ十四オ
いせ　下二ノ十六ウ
伊勢の物語　左衛物記　上二ノ五オ
出雲　中二ノ三オ
いつさいきやう　中三ノ十九ウ
いつそ和　中二ノ廿オ
いくりゐ京　上三ノ四オ
いぐし　下三ノ五オ

礒　上三ノ四ウ

家礒風　同ノ一ウ　下二ノ廿七ウ

いそ山のみるめ　中一ノ十四ウ

礒菜のかさ松　上三ノ二オ

礒　名所　同ノ廿一ウ

いそのうへ　大和　中下ノ十四ウ

いそしろ田　下三ノ十ウ

礒貝　上三ノ二十オ

いそふ　此之　同ノ七オ

いせのすゑ艘　上三ノ一ウ

いもせの山　下二ノ十三ウ

いもせのしるし　中三ノ廿九オ

いも　中二ノ十二ウ

池　名所　上三ノ十二ウ　同ノ廿オ

いぶきの嶽　近江　下二ノ卅六オ

板倉橋　備中　下三ノ廿九ウ

いさゝほき　中二ノ七ウ

五百代小田　下三ノ五オ

虚言　出家之　上二ノ四ウ

いはよ鳴　咲る――　中一ノ十オ

いらひ物語　上三ノ廿五オ

一家掛　上二ノ六オ

一味の雨　下二ノ四十七ウ

いつまで草　上三ノ二ウ

色せてこらさ　下二ノ廿五ウ

いろはを書つらねて　下三ノ卅三ウ

いろのこ解禄うみ寄る髪　上五ノ四オ

いろは　下三ノ卅七オ
いざよひ　下ノ十六ウ
いさゝ波　上三ノ一ウ
いさよふ月　下ノ十六ウ
いさよふ波　同ノ同
いさゝ小河　中三ノ廿八オ
いさゝむら竹　中ノ十三オ
いさゝめ　下ノ十一オ
いさらなみ　下三ノ十五オ

いさり火　下ニノ廿四ウ
いとはし　上ニノ八オ
いとなく　下一ノ廿一オ
いとあかしこし　上三ノ八オ
いとゞ　下一ノ廿ウ
糸　上ノ三ノ四オ
糸萩　口ノ二ウ
いとあはし　下一ノ廿ウ
いやしきする　上ノ三ノ七ウ

源経之

いやおひ月　上三ノ三オ

いどのき　同ノ三ウ

板戸　同ノ四ウ

犬桜　同ノ二オ

いまし　海蟾之　同ノ七ウ

いさゐ　河の深き所之　同ノ六ウ

いきれ綫　同ノ八オ

いしまなすれらず　中二ノ四ウ

高雲鶉河乃叶帝代々内手綱　中三ノ十七ウ

呂

六帖

六条中書王作

上二ノ子月

波

泊瀬河　中一ノ十八オ

葉月　上三ノ三オ

廿日草　中三ノ二ウ

誹諧歌　上ノ十三ウ

橋　多わし　上三ノ十四ウ　四ノ廿二ウ

はしきの野　唐く　中三ノ一ウ　四ノ二オ

はしのれ田　下三ノ十ウ

橋姫物語　上三ノ廿五オ　下一ノ十五ウ

はし姫　上三ノ二オ

はし鷹　四ノ五オ

橋姫といふ橋をまもる神を云　下一ノ十六オ

端の影　上二ノ廿六ウ

橋守　下ノ十六オ

橋柱よむまし事を書付　下三ノ卅オ

はさゝ　牌之　上三ノ八ウ

はるて　下ノ二ノ卅七オ

原　蘇所　上三ノ十ウ　同ノ十八オ

秡　上三ノ三ウ

葉守の神　中三ノ三オ

もなかの松　武隈―　下二ノ十五ウ

花を北山　中一ノ八ウ

むかしむかし物語　上三ノ廿四ウ

花顔　出名　上二ノ五ウ

纓の帯　下二ノ廿六ウ

放ち　同ノ五十ウ

花の梅以ふ世　下ノ廿一オ
花落　下三ノ十五ウ
花　上三ノ二ウ
花鳥　下三ノ十一ウ
花の清み　下一ノ卅一ウ
鼻ひる　中三ノ廿オ
挽歌　上ノ十五オ
反歌　口ノ九オ
はふりこ　下ノ四十六ウ

濱　名ホ　上三ノ十三ウ　同ノ廿ウ
濱松の枝　物語　同ノ廿五オ
濱成式　上一ノ十一ウ　上二ノ四ウ
濱ゆふ物語　上三ノ廿四ウ
濱松中納言　物語之　上二ノ五オ
木綿ゆふ　上三ノ四ウ
濱ゆふハ芭蕉ノ御名字　中三ノ廿八ウ
濱北玉松　上三ノ二十オ
濱菘　中一ノ八オ

濱楼 下二ノ卅四オ
母 上三ノ四オ
箒木 下二ノ卅七オ
はゝやれ山 中二ノ十ウ
積穀民 下二ノ七オ
泊母乃傳 上二ノ五ウ
はちすれはひ 下二ノ十二ウ
蜂な八十はち 中三ノ廿五ウ
望夫石 同ノ廿ウ

はきはらや　中六ノ一オ
萩か花摺　下二ノ卅三オ
萩　上三ノ二ウ
旭ふく秋　中三ノ九オ
促織　上三ノ五オ
はきむれ　下三ノ十九ウ
はやり風　上三ノ一ウ
春まけて　中一ノ十六オ
春さされ　同ノ十一オ

波の計して
藤原仲本
波にたゆたふ

上三ノ五ウ
中一ノ十三オ
下三ノ九ウ

仁

西の部	中一ノ廿一ウ
二四八	日ノ十オ
錦木乃千束	中二ノ卅オ
仁和集	上二ノ六ウ
人形（ちらくさ）	上三ノ三ウ
日本紀	上二ノ七オ
小[illegible]	上三ノ四ウ

壬生河　下三ノ廿八ウ
鶉　上三ノ五オ
みをつくし　下ノ九ウ
庭桜　上三ノ二オ
みひとあひの空　新殿　中二ノ四ウ
みひの手枕　同ノ同
み出桑まゆ　同ノ三ウ
みき物語　上ノ十七オ
みこひるる身をかし　下二ノ廿四ウ

女房八十二人男傍
入道卅六人男傍

上テ卅ウ
上ノテ四十二ウ

保

細谷川　上三ノ二オ

本歌　上三ノ四ウ

本家和名　下一ノ九オ

表前乃名對面　中二ノ三ウ

陸も斗　積向く　上三ノ六オ

堀江　探は玉　中一ノ十八ウ

堀河院艶書合　上二ノ四オ

堀河百首　上二ノ四オ

堀河院日記　上二ノ五ウ

清輔入道　古名　同ノ六オ

宝物集　同ノ六ウ

牧笛集　清輔　同ノ六オ

蛍　上三ノ五オ　下三ノ十三オ

蛍をあつめて見奴世のまとを学　下三ノ十三オ

ほとゝきす 行　上三ノ四ウ

ほこら　同ノ三ウ

火串　下三ノ十一オ

ほづゝ　口ノ三ウ

ほのゝし　下ノ十四ウ

ほすえ　上ノ三ノ六オ

邊

平城　上三ノ四ウ

邊づ　冬の波く　口ノ七ウ

平語抄　上二ノ七オ

邊き なみ　冬波之　又秋北左さ立波之　上三ノ六ウ

邊ら　口ノ八ウ

邊そ　徒之　下一ノ廿二ウ

登

とをくと程ろうやむやれ関　中三ノ十九ウ

とをのへり　中二ノ廿五オ

とやくとり　下二ノ十七オ

とよまれ　中一ノ十オ

いよ枕　上三ノ四オ

とよれみそぎ　日ノ三ウ

まれあの程　下二ノ四十三オ

登陸　出名　上二ノ四ウ

登山　中一ノ廿千オ

泊　名所　上三ノ廿ウ

時臭　〃ノ五ウ

時そとめなく　いとまなきこと　〃ノ七ウ

とふ薄荻　〃ノ四オ

花火乃硯字　下ノ三オ

とふき　下三ノ七オ

とき治かくさる　下ノ廿七オ

とこ海よりおくるさき母よゆく　中一ノ十七オ

とみの小河　下二ノ四十ウ

とこしなへ　下三ノ十四ウ

床　上三ノ四ウ

常世國　下三ノ十一ウ

童蒙抄　範重　上二ノ五ウ

とうの中将掲侶　上三ノ廿四ウ

須尾病　上二ノ十八オ

ところ　下一ノ八オ

とりかへはや物語　上三ノ廿四オ
とまる　下三ノ廿八オ
とまや　中二ノ廿五ウ
とりそふ書　下ノ二ノ四ウ
照射　下三ノ十一オ
ともじ　下二ノ十七オ
友鳥　上三ノ五オ
とも舩　口ノ二オ
灯臺に鬼まつくる　下一ノ六オ

とますつは物語　上三ノ廿四ウ
とも里あけ物語　同ノ同
年比　同ノ五ウ
刀自　下二ノ十七オ
戸　上三ノ四ウ
十束剱　中三ノ十七オ
とつき銭一つゝ　下一ノ九ウ
とひく比木　石楠草　中三ノ廿一ウ
と取り比留　下三ノ廿二オ

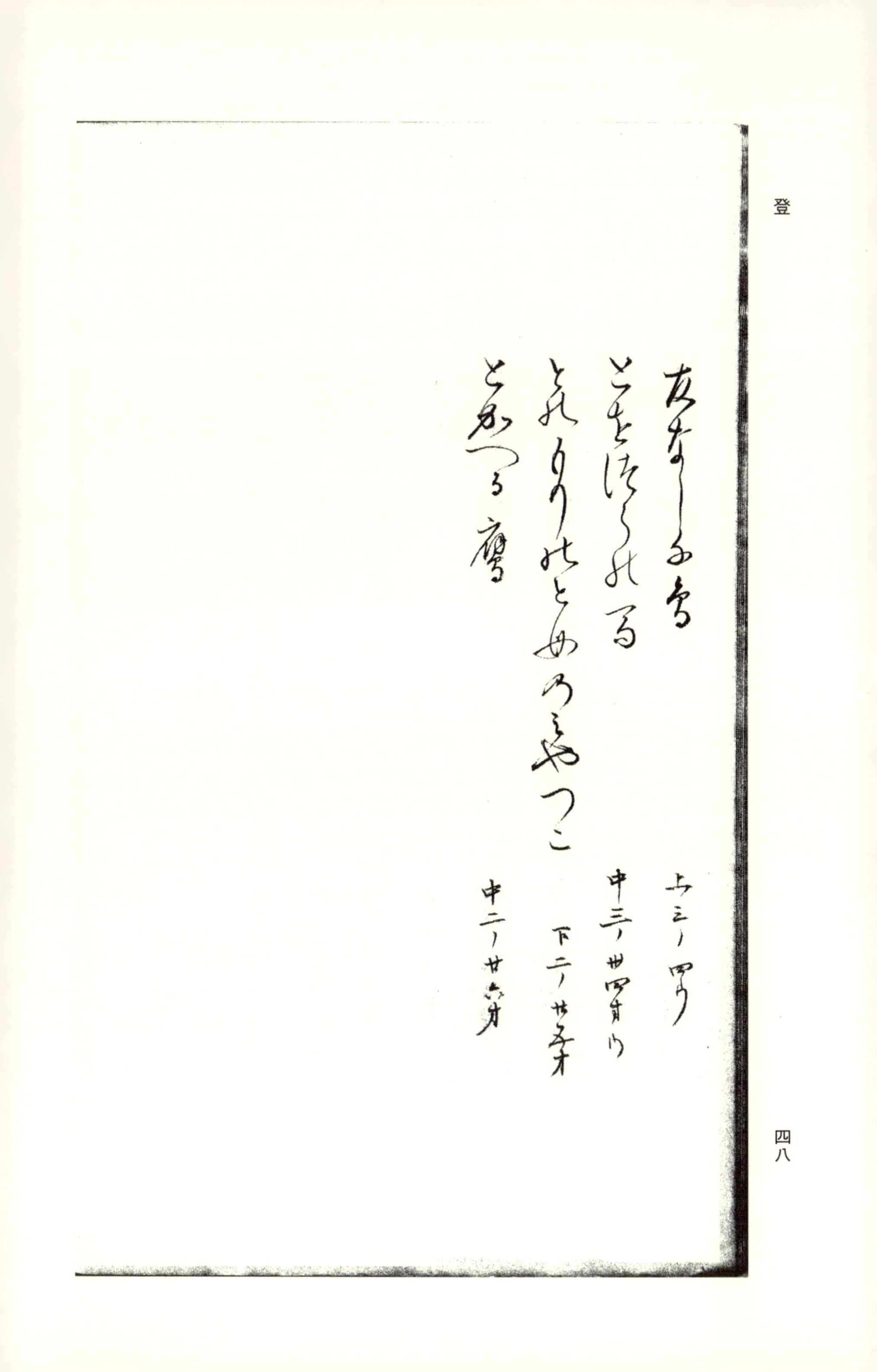

知

ちのわ　塩竈　中三ノ十八ウ

中宮　上三ノ三ウ

地異　同ノ五ウ

ちりつもりて山となる　下二ノ廿四ウ

地儀経　上三ノ一ウ

畜類　同ノ四ウ

喬具　同ノ六ウ

知る　同ノ四ウ

垂跡和合　下二ノ四十三ウ

手束此所こき　下三ノ廿ウ

父　上三ノ三ウ

長孫　上一ノ八ウ

淮蜀ヶ故事　中二ノ廿三オ

地獄の絵　下一ノ廿一ウ

中少将　上三ノ三ウ

利

良玉棨　上三ノ七オ

良邏念首歩閧　日ノ五ウ

利口状靜　上一ノ十三ウ

奴

沼　上三ノ十三オ

ぬりこめの物語　日ノ廿五オ

ぬす盗人中将物語　日ノ廿四ウ

ぬぐ沓のかさなる　中三ノ廿九オ

ぬさ玉　中一ノ卅オ

ぬれきぬ　云冤之　上三ノ七ウ

ぬさ　日ノ三ウ

留

類聚抄　中三ノ廿二オ

類題林　上二ノ六オ

遠

小塩山　下ノ二ノ十七ウ

岡　名所し　上三ノ十八オ

姨捨山　下ノ廿四ウ

岡　名所悉載し　上三ノ十オ

をふちの駒　陸奥　下二ノ廿二ウ

をふちのまゆみ　中二ノ十四ウ

をれこうけ物語　上三ノ廿八オ

遠見　下三ノ廿三オ

とを見衣　（下二ノ四十二ウ／上三ノ四オ）

小忘　下二ノ七ウ

とをちの里り　中一ノ十オ

とを山し　上三ノ七オ

とをのみのきつかき　中一ノ廿三オ

とをちかき　上三ノ八オ

折句也　歌　上一ノ十二ウ

なそれ　恋ちぬれ男　中一ノ廿六ウ　四ノ廿七オ

小車此線　中三ノ四オ

壺近乃墨清き　しらぬ　下一ノ三ウ

鴛　上三ノ四ウ

たゝ程をつて　下一ノ七ウ

きのふ杤し　下一ノ廿四ウ　下二ノ廿九オ

和

渡

わたの原

わたり河

わらは奴 物語

わすれの　わすれ野也 一説萱草也

忘水

忘草

上ノ三ノ十三オ

下ノ廿三オ

下ノ廿一オ

上三ノ廿四オ

中ニノ十二オウ

上三ノ二オ

中ノ一ノ二オ

忘貝 上三ノ二オ
和歌九品 上二ノ八オ
和歌の會式事 上二ノ廿六オ
和歌の於く理 上ノ一ノ八オ
若菜のつま 中二ノ四ウ
若草物語 上三ノ廿八オ
和漢朗詠上下巻 上二ノ五オ
若狭阿闍梨隆源口傳 同ノ五オ
和名抄 下一ノ九ウ

[illegible]　下三ノ卅三ウ

[illegible]　上三ノ二ウ

[illegible]　下一ノ卅一オ

[illegible]　下二ノ卅九オ

[illegible]　上三ノ七オ

[illegible]　下三ノ廿四ウ

[illegible]　上二ノ一オ

[illegible]　上ノ四オ

和琴

上三ノ四り

加

かはしの早稲　中二ノ五オ

葛城山　下二ノ廿六オ

かはらの北字物語　上三ノ廿五オ

かはらのをの琴　下三ノ四十六オ

かつら男　中二ノ十一オ

桂も乗　下二ノ廿七オ

鬘　上三ノ四オ

かミ屋歌　上ノ六ウ
かそいろま　中二ノ廿二オ
甲斐ノ根　下一ノ卅オウ
海水歌　上三ノ二オ
かいまみ物語　同ノ廿五オ
歌人百六十人累伝　上一ノ十七ウ
このけし 山の崎く　上三ノ下ウ
この帝し鞍馬菩薩　下二ノ廿六オ
この帝常　中一ノ六ウ

こけまさりく　古今　上三ノ三ウ
かまろふ　下一ノ十八オ
かけろふ乃日記いこの程　下二ノ五ウ
岸樹病　上二ノ十八オ
撫頭歌　上一ノ十一ウ
神風のいせの本　中一ノ八オ
宝玉集　上二ノ六ウ
貧家の賓集　同ノ四ウ
閑林集　同ノ六ウ

神風	中一ノ七ウ
かみのまにまに	上三ノ三ウ
神無月	口三ノ三オ
上服氏 ハトリ	下二ノ七オ
神社ひもろぎ	口三ノ六ウ
神さび	下二ノ十二オ
かまひのみ	上三ノ二オ
庵主志つましく	下三ノ卅三オ
かけろふ日記	上二ノ五ウ

烏羽にかけることの葉　中三ノ廿三ウ

唐櫓　下一ノ十オ

うきつし　下二ノ八ウ

鵲乃橋　中二ノ三オウ

鵲　上三ノ五オ　中三ノ三オ

鵲のゆきあひま　中三ノ三オ

鵲乃ちかひの橋　同ノ三ウ

交野　河内　同ノ廿七オ

渭　名所一　上三ノ廿一ウ

かたいなか物語　上三ノ廿四ウ
片山雉子　同ノ五オ
片波寄　同ノ二オ
かた糸　同ノ四オ
かたみ　籠之　下ノ卅オ　上三ノ八ウ
片破月　中二ノ十オ　上三ノ一オ
かたしき　上三ノ七オ
かたえれ新　下二ノ卅九オ
かたひ　上ノ三ノ一ウ

うひすゝ　下二ノ十五オ
帽屋　中一ノ六オ
うひの火　上三ノ四ウ
神楽の曲ふかつのきさいのまゝ　下三ノ廿二ウ
隠顕　上ノ十五オ
神楽　中三ノ十一オウ
かくれ木の実　日ノ十三オ
花鏖廿六人十八番　出尽　上二ノ六ウ
隠嚢物語　上三ノ廿四オ

かくれぬ　中一ノ十八オ

河　石なし——　上三ノ十二オ　十九オ

河そひ柳　（下三ノ三ウ　中二ノ廿八ウ）　上三ノ二オ

構さくら　上三ノ二オ

河かみ　口ノ口ウ

かも衣　口ノ四オ

河社　中三ノ十ウ

河原屋　中一ノ六オ

うそそく　一のよりすく　上三ノ七ウ

かうつれ時　上三ノ二ウ

かすつろ納　下二ノ四十六ウ

影操合　上二ノ六オ

柏木　上三ノ三ウ

柏木をいる衛門の督名（後恵作・左右衛門）　中三ノ四ウ

影苑抄　上二ノ六オ

加茂女北集　中三ノ卅五オ

かきつ蕨　上三ノ二ウ

垣　四ノ四ウ

壁子　上三ノ二ウ

蛙　中一ノ五ウ

かるもかく伏猪の床　中三ノ廿五オ

かこう舟　下三ノ廿三ウ

鏡　上三ノ四オ

蚊火屋　中一ノ五ウ

このしま　下ノ十六ウ

かたもし　前挿し　上三ノ六オ

かざしと　うつらけ云　中一ノ七オ

歌仙の名誉　上二ノ七オ
返歌の体　同ノ二オ
返歌乃事　同ノ一オ
亀甲以占　中一ノ十三オ
輕大臣　下ノ六オ
雁　上三ノ四ウ
雁は翅乃あ津ひ羽　中三ノ三ウ
雁の使　下ノ八ウ　同ノ九オ
雁は玉章　下ノ八ウ

故実火
務

上三ノ四ウ
四ノ五オ

與

よしのゝ山　上一ノ廿五オ

よしの山物語　上三ノ廿四ウ

吉野河　津の国　中ノ十八ウ

よそね峯　安房之　上三ノ一ウ

よそしろ田　下三ノ十ウ

よごの海　近江　下二ノ十四オ

田つの関　下一ノ十九ウ

世継物語	上二ノ五オ
よるへの水	中二ノ廿八オ
よるへたまる水	同ノ同
よそひ星	上三ノ一オ
郷遠	下二ノ十三オ
よそひ草　水草之	上三ノ二ウ
与世物語	上一ノ十六オ
嘆子鳥	下三ノ六オ
よたく	下一ノ八オ

夜半月　有之　上三ノ三才

夜鳥　同ノ五才

よぎて　のそきてく　同ノ七ウ

蓬の戸　同ノ四ウ

よまち　夜まき　中二ノ十才

太

嶽　ふもし　上三ノ一ウ　四ノ十七オ

武隈の松　陸奥　下二ノ十五ウ

竹取物語　上三ノ廿四オ

竹の異名　四ノ二ウ

葺精　下二ノ十九オ

たゝさ　状く　上三ノ四オ

道濱十佐　出名　上ノ五オ

多武峯少将の物語　多武峯少将丸　上ノ三ノ廿四オ

大海ゝ　中一ノ五オ
大政比御牧　中一ノ五オ
大刀の金物装束物す　上一ノ廿七ウ
大刀のあゝ戸　上三ノ四ウ
大臣召拾三人明停　上二ノ十三ウ
大原集　日ノ六ウ
内裏　上三ノ四ウ
大臣　上三ノ三ウ
たゝえ歌　上一ノ七オ

たゞち　上三ノ七ウ

さゝまくらしき　下二ノ八オ

たゞなるべし　下三ノ三十オ

たゞさし枝　四ノ廿二オ

達磨十體　六名　上二ノ五オ

玉水　山城　中三ノ廿七オ

玉田横野　摂津　下三ノ四オ

玉江　越前　下二ノ卅一ウ

玉柏物語　上三ノ廿四ウ

玉藻物語　上三ノ廿四オ

玉津島明神　下一ノ卅六ウ

玉ゆら　上三ノ四ウ

玉かつら　同ノ四オ

玉もかき　中二ノ七オ

手枕　上三ノ四オ

玉くし　同ノ同

たまのをさき　下一ノ九オ

玉かつら　上三ノ四オ

玉かつらこのめ　下ノ廿一ウ

玉まく葛　下二ノ卅二オ

玉柳　下三ノ三オ　上三ノ二オ

玉柏　下三ノ十九ウ

玉くしげ繋　上三ノ三ウ

玉ゐをつのり　中一ノ十九ウ

玉緒　中二ノ七ウ

尚海きいる　下三ノ卅ウ

玉としふゆめをまち　中二ノ八オ

玉のはゝきに木あまこ　下一ノ十七ウ
玉はこ　中二ノ卅オ
短歌　上二ノ八ウ
玉ゆら　上三ノ卆ウ
龍田山　上一ノ廿四オ
龍田姫　上三ノ三オ
たづ　下二ノ卅卆オ
龍の馬　上三ノ五オ
たとへ歌　上一ノ六ウ

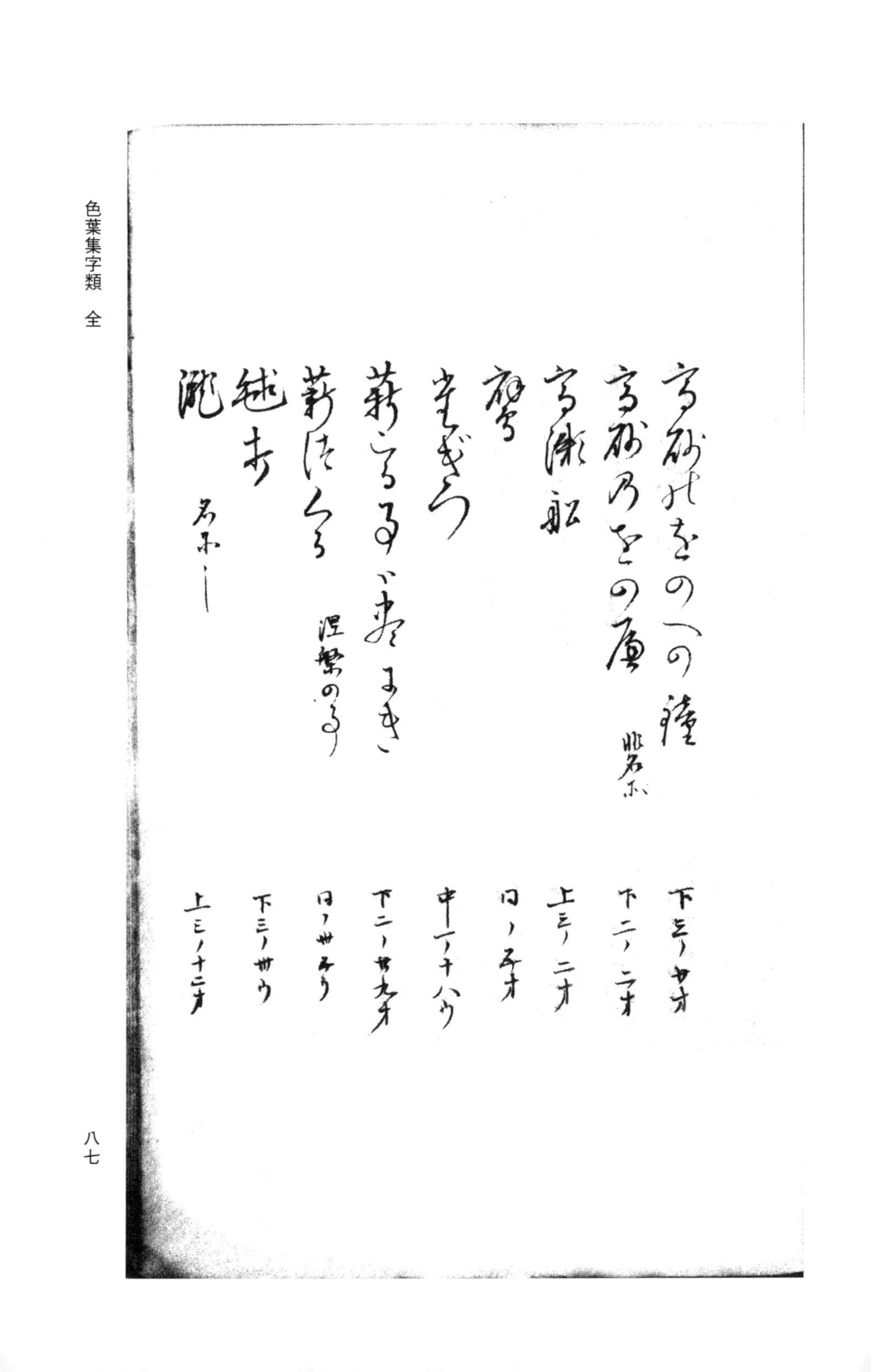

たちはなのえ　下二ノ四十四ウ
たちのをの神　中三ノ十四オ
たちぬはぬ衣　下一ノ廿四オ
橘をまよぐし　日ノ六オ
たちまち月　上三ノ一オ
たそかれ時　日ノ二ウ
たのきれさお　中一ノ十七オ
たのむの雁　中三ノ廿七ウ
たゝち祿　中三ノ廿三ウ

ゝ

たゝち　中三ノ廿三オ
たゝちめ　上三ノ四オ
たゝち様のおや　下二ノ廿四ウ
たゝちまさ　上三ノ三ウ
たてまつことを物語　日ノ廿五オ
たをやめ　中三ノ十四ウ
太上天皇　上三ノ三ウ
たまもれ男　中一ノ廿六ウ
梛をつく　中三ノ十ウ

栁ちりしを取　上三ノ二オ

たつる　日ノ七オ

たらふ　日ノ八オ

礼

連歌

蘆花集

上ノ丁十七オ

上二ノ五オ

曽

そふ　沿ゝ　中一ノ廿オ
そしろ田　下三ノ十ウ
そのこのゝ　中三ノ十オ
そね吉ゝ伏屋　南村ゝ　下二ノ卅七オ
崇福寺　信濃ゝ　中一ノ九オ
僧七十四人男俗　上二ノ卅七ウ
双木　影ゝ　上一ノ十一ウ

嚢聯病　上ノ十八オ

そうづ　下ノ廿七オ

袖ひぢて　下ノ三オ

袖に墨つく　中三ノ廿九ウ

そゞぶる　上三ノ七ウ

袖の香　下ノ六ウ

袖ぬらし物語　上三ノ廿四オ

そがひ　上三ノ八オ

そも　山ヽー　上三ノ一ウ

ゝそまがき　下三ノ十六ウ
そゝかくぐ　中三ノ卅ウ　同ノ卅一オ
衣通姫　下一ノ卅五オ
そい菊　下二ノ廿五ウ
そが菊　上三ノ二ウ
そなれ木　同ノ二オ
そなれし松　同ノ同
そつ話　上一ノ六オ
そつ不　下一ノ廿七オ

そと　外く

そとも

ぞも　助語く

そびき

上三ノ八オ

同ノ同

同ノ八ウ

下二ノ二ウ

中一ノ十二オ

津

津　名ふし　上三ノ廿ウ
筑摩江　近江なるし　中三ノ廿六オ
つくもかこ　日ノ廿五オ
つくもづかさ　上一ノ廿三オ
筑波根　常陸　中二ノ四オ
筑波山　下一ノ廿ウ
筑紫裾　上三ノ四オ

つゝ　付之	上三ノ七ウ
月やとりもむ物語	四ノ廿五オ
月人男	中二ノ十一オ
月氷嵐	中三ノ廿二オ
月なき	上三ノ五オ
月の桙さし	下三ノ十八オ
津乃國	上一ノ廿四ウ
つま梧	上三ノ四オ　中三ノ十七ウ
爪木	上三ノ二オ

妻屋　上三ノ四ウ

はじしの石　河内　同ノ同

躑躅　同ノ二ウ

はしたける　下三ノ四オ

躑躅の林　下二ノ卅五ウ

躑子を思ふ　下三ノ廿七オ

躑のまとしろ矢　上一ノ十八オ

躑　罷らぬかし衣　上三ノ五オ

橡衣　同ノ四オ

はく〳〵　ほう〳〵　上三ノ五オ
土御門右府御物　中三ノ十七ウ
つれなし物語　上三ノ廿五オ
露わやと理物語　日ノ廿四オ
はけし　中一ノ四オ
はけれ枕　上三ノ四オ
つけれ小路　日ノ日
はくね鉄　下三ノ十五ウ

祢

祢さめ物語　上三ノ廿四オ
祢ぐ　祈請　同ノ三ウ
萬代歌　上三ノ十五ウ
祢こし山ごし　下一ノ卅ウ
祢宜　下二ノ四十七オ
祢待月　上三ノ一オ

京

きやうの山とに　中一ノ九才ウ

きやうの北ノ橋　上一ノ廿四ウ

きやうの物語　上三ノ廿四オ

きやうのしま物語　上三ノ廿五オ

きやうの宿さうし　下三ノ廿七オ

きやうの名堂のまん　同ノ六オ

きやうの子やつおりふ　同ノ廿七オ

南陽縣菊 下三ノ十九オ

難波樸 上二ノ六オ

難家集 同ノ七オ

難於氣 同ノ六ウ

名對面 中二ノ三ウ

鳴海潟 下三ノ廿ウ

鳴澤 中一ノ十九ウ

なこしの祓 帖之 上三ノ五ウ 下二ノ廿九オ

なごろ 上三ノ二オ

なご屋　上三ノ四ウ

難波潟　下二ノ五オ

なれ　海　本ノ七

なき名の姫君物語　上五ノ廿四ウ

横笛物語　同ノ廿四オ

瞿麦　同ノ二ウ

夏神楽　中三ノ十ウ

なつきも　なれきつゝやく　上三ノ八オ

夏川乃氷　同ノ四オ

夏そひく　中二ノ六オ

夏まけへ　上三ノ三ウ

なつ法師も　中一ノ十四オ

夏書の麻　谷吉藤　中二ノ六オ

なつの帝　上二ノ六オ

なつの棗　上三ノ二オ

楢の若柏　上三ノ二オ

なつの聞き人　下三ノ廿五オ

七種の中一つ日のつけたり　下三ノ廿九オ

呼つかひ部

なきと物語　上三ノ廿五オ

なぐさめ物語　上一ノ十五ウ　日ノ十六ウ

梨壷の五人　上二ノ三ウ

なまめけ山の法師　上一ノ卅オ

鍋を筑摩の祭のなべ事　中三ノ廿三オ

なれりそ　中一ノ十三ウ

なる手帖　上三ノ二ウ

なほざりへ分　上一ノ六ウ

なまめく　上三ノ七オ

なげ　歎し　下一ノ四オ

なぞの　あやしく　上三ノ七ウ

良

落書以千不當

乱白侍乃影

礼與

上三ノ六オ

上一ノ十ウ

中三ノ七オ

武

室殿　上三ノ三ウ

むろの宿　同ノ四ウ

むかのきさと　中二ノ十ウ

陸月　上三ノ三オ

むすびの神　中三ノ三オ

無名抄　後拾　上二ノ六オ

むれ鳥　上三ノ五オ

虫　同ノ同

むら雪　別こ　上二ノ四十オ
村す雪　日ノ四ウ
むら柳　上三ノ二オ
むやく　中三ノ廿オ
昔見人の袖の香　下三ノ十一ウ
む紫ぶ　上三ノ七オ
むもも玉　中一ノ廿オウ
むもゝ添　聲こ　上三ノ廿オ
昔見人の玉章　下二ノ四十二オ

むらさきの　たゞ上皇を云

莚

紫の根ずりの衣

下二ノ四オ

上二ノ四オ

下一ノ十四ウ

宇

浦　名所―　上三ノ十三ウ　四ノ廿オ

浦路の別れ　下二ノ十三ウ

浦千鳥　上三ノ四ウ

うらゝ　中一ノ十六ウ　下三ノ廿八オ

うらつかしはやき　中一ノ十二ウ

うらぶれ　下一ノ十ウ　下三ノ十六ウ

うらとく　やゝとく　上三ノ八オ

ト古　上三ノ三ウ
うらめづらしやと珍重之　中ノ八オ
歌をよまむ旨趣　上一ノ四オ
歌合并雑事　中ノ廿八オ
歌の病を避る次第　上一ノ十七ウ
歌の本を貴ぶの時文字を避つる歌　上一ノ廿二オ
歌の合述并人の事　上一ノ廿九ウ
歌の用意　上一ノ廿八ウ
うたて　上三ノ七ウ

うたゝね　下二ノ廿四ウ

歌雑義乃釈　中一ノ一オ

うたかき　下一ノ十三オ

歌よみ　上二ノ七オ

歌論談　上二ノ五オ

歌の龍種　上一ノ八ウ

宇多野　中二ノ廿七オ

謡つくしの秋　下三ノ廿九オ

謡乃まくらけ　下一ノ七オ

評　名なし　上二ノ十一ウ
馬　上三ノ五ウ
牛比貝　中三ノ卅オ
打羽ぶ事　下二ノ十四ウ
打そそれ髪　下三ノ三オ
宇治大納言　物語之　上二ノ卅オ
因乃女御物語　上三ノ廿四ウ
宇治橋姫物語　上二ノ卅ウ
うち　席のありく　なく　下二ノ九オ

海　名所ー

うミ柿

うきしゐ

うきゝく

埋火

うきめを見

うきまこと

うつし人

うきは物語

上三ノ十三オ　日ノ廿ウ

中三ノ廿五ウ

下二ノ十五オ

中一ノ卅ウ

上三ノ四ウ

中二ノ十五オ　上三ノ二オ

中一ノ十五オ

下二ノ十五オ

上三ノ廿四ウ

うさかの森　越中　中二ノ十四オ
うひ　初之　下一ノ十オ
うなて　中一ノ廿九ウ
うけふ　上三ノ二ウ
うやむやの関　出羽之　中二ノ十九ウ　日ノ廿オ
うけもちの神　中三ノ二ウ
埋木　中一ノ十六オ
[illegible]蕨　上三ノ二オ
宇土濱　陸奥　下二ノ四十六ウ

浮木	中二ノ廿二ウ
うれ　ホノまく	上三ノ六オ
うけらが花	中二ノ一ウ
萍やほの櫨	上三ノ二ウ
うぶ屋	中二ノ廿一オ
卯花くだし	上三ノ一ウ
卯む月	上三ノ三オ
鶯	口ノ四ウ
うけひ　誓之	下一ノ十三オ

うせる　あさるまむこ　上三ノ六ウ

うず玉　中一ノ廿オ

為

為南野　摂津
井　名所―
井堤
井手玉水　山城
井手山吹
為末月

中二ノ十二オ
上三ノ十五オ　廿五オ
中三ノ廿七ウ
同ノ廿七オ
下一ノ九ウ
上三ノ一オ

乃

野中乃しみ水　上三ノ二オ　下一ノ廿二オ

野　同三ノ十ウ　同三ノ十八ウ

能ら　同ノ四ウ

野守乃鏡　中三ノ一オ

野ともせ　下二ノ三オ

能因か口傳集　中二ノ一ウ

荷前乃祭　同ノ廿三オ

於々

大原野社　下二ノ十七ウ

大宮　上三ノ四ウ

大床　中一ノ九ウ

おほたもち　中二ノ十六ウ

大三輪の明神　大和物語　同ノ同

おほぬさ　下ノ十七ウ

大忘　下二ノ七ウ

大ばのこな物語　上三ノ廿五オ

おほ福女　日ノ二オ

おほをそ鳥　中二ノ廿七オ

おほくれ人のきこしめき奴　下二ノ廿五オ

おほなゐ　下三ノ十六オ

おもみ　下一ノ廿二ウ

おもふる　上三ノ六ウ

おもしろし　中三ノ十三ウ

おもしろくるしき物語　上三ノ廿四オ

おちくぼ物語　落窪の　上三ノ廿四オ

落瀧は　中一ノ十八オ　下一ノ十二オ

おめづらり　同ノ廿二ウ

老人のかたる物語　上三ノ廿五オ

老の泪　下二ノ四十二オ

おのゝかす　上三ノ七オ

おのがうきさ物語　同ノ廿四ウ

沖は母　同ノ二オ

おきつ島　中二ノ十九オ

[illegible] 下二ノ十一ウ

[illegible] 上三ノ二ウ

[illegible] 中二ノ二オ

[illegible] 中一ノ十七オ

[illegible] 上三ノ七オ

[illegible] 中一ノ七オ

久

国もせ　下二ノ三ウ
国つ神　上三ノ三オ
呉　下二ノ七オ
くれなゐくれひ　同ノ同
紅の裳裾は衣　上三ノ四オ
呉竹　上三ノ二ウ　下二ノ七オ
呉竹のうきふしあけき　下三ノ廿六オ

くれまで程 下二ノ六十ウ
沓冠の折句 上一ノ十三オ
くつで 沓村く 下一ノ卅六ウ
くつま云 上三ノ五十オ
くさ双紙 物語 同ノ卅四ウ
草双戸さらし 同ノ四ウ
草雑の詞 中三ノ十八ウ
くちびる 下二ノ十九ウ
草 上三ノ二ウ

草あふひ　上三ノ二ウ
草枕　中一ノ廿二オ
雲のかよひて　下一ノ十オ
くもてにものおもふ　下二ノ四ウ
雲の上　上三ノ四ウ
蜘ハ九十くも　中三ノ廿五ウ
花月集　上二ノ六ウ
廻文　上一ノ十四オ
元日宴　下二ノ四十三オ

くずち　慥之　下一ノ廿二ウ

くまがへ物語　上三ノ廿五オ

くゞ法　―　同之　上三ノ八ウ

紅雀洗子の砚破　物語之　上三ノ五オ

紅のかそめ紙衣　上三ノ四ウ

葛城美名　上三ノ六ウ

元興寺智光　中三ノ七ウ

栝　上三ノ四オ

口まね　上二ノ一ウ

枯木の柳　上三ノ二オ

枯ゝる萱　下三ノ十三オ

車の轍　中二ノ八オ

くるまのかゝ　下二ノ廿八オ

くろ濱松　上三ノ二オ

車もまくるゝ見ゆる　中三ノ卅五オ

黒白の乱乃変　同ノ卅二ウ

くろ鶴　上三ノ五オ

くさのけ　中三ノ廿ウ

水鶏

上三ノ四り

也

やせ鴫　山崎宗鑑　下一ノ廿オ
ややさむ 法河　中二ノ七オ
やす崎　加賀の所と云　下一ノ廿二オ
やや　上三ノ八オ
山田のそふ　山崎宗鑑　中一ノ廿オ
山下風　上三ノ二オ
山　花の慈鎮　同ノ九オ

やまとしく　上三ノ四ウ

山田の僧都　下一ノ廿六ウ　同ノ廿七オ

大和守　中一ノ十四オ

大和前司　同ノ同

山の井　中一ノ廿ウ

中務中納言　物語之　上二ノ子オ

山科家　同ノ六ウ

大和物語　深養父ほか　同ノ五オ

山かつ　上三ノ四月

山姫　下一ノ廿四オ
やまと琴　上三ノ四ウ
山あゐ衣　日ノ四オ
山うばら　下三ノ七ウ　下一ノ廿七ウ
山すげ占　中一ノ六ウ
山烏頭もしろく　下二ノ四十一オ
山鳥のをろのなをのあと　中一ノ廿七ウ
山鳥のをろのはつをの鏡　日ノ廿七ウ
やさゝめく　上三ノ七オ

やさしき　下ノ廿七ウ
やしろ　上三ノ三ウ
やはらか　同ノ八オ
やはを　花　同ノ一ウ
八重のくもて　下二ノ四オ
八橋　三河　同ノ七ウ
やも　助辞　上三ノ八ウ
やものかしは　同ノ五オ
八百行濱　下二ノ廿三ウ

や理乃　上三ノ二オ

や坡とめ　日ノ三ウ

柳　日ノ二オ

柳のまゆ　日ノ二オ　下二ノ二オ

柳乃糸　上三ノ二オ

やうじをは磨　上三ノ五オ　中二ノ廿四ウ

八重乃富　上三ノ五オ

やまやまて　下一ノ七ウ

末

牧　名ーー　上三ノ十一ウ

志末知めてつくれる　中一ノ廿二ウ

志末知戸　上三ノ四ウ

まきてく　下一ノ廿七ウ

ますゆうき　中二ノ十四ウ

眉根のき　中三ノ卅オ

松浦明神　にお　中一ノ廿六オ

松浦潟　好忠　中一ノ廿六オ
松浦山　同　同ノ同
松垣　上三ノ四ウ
松の枝の物語　同ノ廿五オ
松　同ノ二オ
松虫　同ノ五オ
まゝ　ゆゑ　いとまし　上三ノ八ウ
まろふし　同ノ同
萬葉集名所　同ノ十六オ

万葉集　上二ノ三オ
ま金ふく　下ノ廿八ウ
ます鏡　上三ノ四オ
ま清　うるはしききよし　同ノ七ウ
ます鏡　同ノ四オ　下二ノ四オ
ますら男　中三ノ九オ
ますみの色　彩雨こ　上三ノ四オ
ま木柱　中一ノ十三ウ
西東縄　下二ノ十二ウ

ますかゞみ鏡　上三ノ四オ

ますかゞみ　同こ　的こ　中三ノ廿四ウ

まとゐ　上三ノ七オ

窓ヶ浦雨　下二ノ卅七ウ

まじき　中三ノ廿五オ

枕　上三ノ四十

枕双紙　上二ノ五オ

ま［illegible］手　上三ノ七オ

まゝ　猿こ　同ノ五オ

まし水　中三ノ廿八オ

ましろの鷹　中二ノ廿五オ　上三ノ五オ

ましら　猿　上三ノ五オ

まぶしさし　下二ノ九オ　中三ノ九ウ

ま福田丸といふ童の名り　中三ノ五ウ

まうで　紅の色に　上三ノ七オ

まろぶ　下三ノ四ウ

まろ薮　上三ノ二ウ

まろ袖　日ノ七オ

ますほの糸　下三ノ十五ウ

まな鶴　四ノ廿七ウ

猶者　中三ノ五ウ

計

熏名苑　下一ノ九オ

源氏物語　上二ノ五オ

現在集　同ノ六オ

言ゝ集　同ノ五オ

言靈集　能因　同ノ六オ

月詣集　同ノ同ウ

荊濱塞花集　同ノ同

戯咲顔　上一ノ十四オ

けふの細布　中二ノ廿一オ

けゝれなく　下一ノ廿オ

けらし　中一ノ廿五ウ

けふ　猫こし　上三ノ八ウ

けの志理　酒殿之　同ノ六ウ

不

風　上一ノ六オ
賦　口ノ六ウ
不二の山　中一ノ十九ウ
ふし柴　上三ノ二オ
ふしづけ　中一ノ六オ
ふきさ斗足礼そ　中二ノ十一オ
ふりや物語　上三ノ廿四ウ

二村山　下二ノ六オ

ふるしらき　下二ノ廿一ウ

ふるひらき月　七夏　上三ノ三十

布留川　大和　中一ノ十五オ

布留の神　同ノ十四ウ

婦る江　中二ノ廿七ウ

故の物語　上三ノ廿四ウ

故郷忘れぬ鳴まれ鶴　下三ノ廿七ウ

ふれ　ふれさく　上三ノ八ウ

ふくさひ　おもふまゝかくものゝ　上三ノ八ウ

ふくろ雀物語　四ノ廿四オ

袋造氏の　上二ノ六オ

二葉の姫松　上三ノ三オ

文臺　上ノ廿六オ

筆　上三ノ四オ

ふくろ猫乃床　中三ノ廿五ウオ

古

郡　名ホし

こほろき

こづのみ

この海

こえて

こよひる

こ浪この

　　　　こかゝるく

上三ノ十五オ

同ノ五オ

同ノ七オ

同ノ同

同ノ同

同ノ同

同ノ同

いさんゆ　上三ノ七オ
いかで　同ノ同
心なき物語　同ノ廿四オ
古語拾遺　上二ノ七オ
いかひの風　上三ノ十ウ
声なく[illegible]山よりぞふ　下二ノ廿一オ
声れおや　同ノ三十ウ
あをは[illegible]して　下一ノ十オ
恋する人ハ数の蛍そそけ　中三ノ廿九ウ

忘らるゝ人の命も瓜実　中二ノ廿九ウ

忘らるゝ人に袖よ墨つく　同ノ同

をのもかのも　下一ノ廿ウ

菓　上三ノ二ウ

児手柏　同ノ二オ　中二ノ十一オ

をのゝれ　木の懸きく　上三ノ六オ

をのゝゆゑ　下一ノ廿七オ

をとこの慶　云事く　上三ノ七オ

をとゝ玉　下三ノ廿三オ

ふるしも　ふる〳〵詞く　上三ノ七ウ

ふるそともなく　何のかもなきこと　日ノ日

ふるめしび　下一ノ十五オ

ふるの通へ松の本の山家よ　下二ノ卌五ウ

琴の絃をふる　下二ノ卌七オ

ふるゆるきの碑　お標之　下一ノ廿二オ

護身　中三ノ六ウ

ふるさの　中二ノ一オ

こふる　さてのりめきふるく　上三ノ八オ

国王　上三ノ三ウ
湿東歌　上一ノ十二オ
今撰集　上二ノ六オ
講師　上一ノ廿六オ
木居　中二ノ廿六ウ
こもれ花　下一ノ廿一ウ
薦　上三ノ四オ
菰枕　同ノ同
菰刈舩　同ノ二オ

五節淵觴　中一ノ廿五オ
後撰集　上二ノ三ウ
こつき　本稿之　中一ノ十八ウ
後拾遺集　出在　上二ノ六オ
千載集　四ノ五ウ
かけの枕　上二ノ四オ
昔衣　四ノ四
古今集抄　為長　上二ノ五ウ
衣　上三ノ四オ

衣手の裏して縫る
衣ほしたる玉
古今集
詠たる見て
駒つま浅く
古川

中三ノ卅オ
下二ノ四十オ
上二ノ三オウ
上二ノ六ウ
中三ノ廿九ウ
上三ノ四オ

吉

江

江柔し

えびに

役の者

えま　端之

上三ノ十三オ　四ノ廿オ

中一ノ廿一ウ

下二ノ廿六オ

下二ノ九オ

天

てんか閑　中二ノ二ウ　四ノ三才

天気か能　上三ノ一才

殿上　四ノ四ウ

帝王廿四代略伝　上二ノ七ウ

手まゆふ　下三ノ六ウ

てんか愛　下三ノ廿二ウ

てまふるさうろ　いと俤のつるく　中二ノ三才

畳句　上一ノ十三ウ

てだぬき　[illegible]　中二ノ廿六ウ

安

あふ坂　地名　全にく　下一ノ十八ウ

あふしのつね物語　上三ノ廿四ウ

あふきの物語　同ノ同

逢坂中将物語　同ノ同

あふひうつふ　同ノ四オ

あふさき　ろ法　下一ノ廿七オ

鶯精返　上二ノ一ウ

奥義抄　上三ノ六オ
秋の宮　上三ノ三ウ
秋山のかしく　下三ノ十七オ
秋風そての物語　上三ノ廿五オ
あてのなかそて　下一ノ十四オ
あてのとり　中一ノ卅オ
あてのれやいを奴　下一ノ四オ
あての玉帖光　中二ノ廿オ
あてのらをるめ　上三ノ二オ

暁くだち　下一ノ廿三オ
暁つけて　上三ノ五ウ
あさぢが檀　同ノ四ウ
あや　下二ノ三オ
あやめもしらぬ　下一ノ十三ウ
あやな　中二ノ四オ
あやに恋しく　下二ノ六オ
あやなさ　中三ノ七オ
あやなしき経　下二ノ六ウ

あや筵　上二ノ四才

菖蒲冠　中三ノ廿ウ

熱田社参籠　中一ノ十四才

熱田の社　中三ノ十七才

梓の出ノ弓　上三ノ四ウ

梓弓　日ノ四ウ

あら玉　中二ノ十六才

阿弥陀の峰　荒紫　中一ノ十六才

あへ法　さつまく　上三ノ八才

あびき　上三ノ八ウ
あ閉野　上二ノ十四ウ
あさ倉　花芳　中二ノ三ウ
浅香山　降奥　中一ノ廿ウ
浅茅原　下二ノ卅六オ
飯戸　上二ノ四ウ
あさくら物語　日ノ廿四ウ
あるつもよひ　中二ノ十三ウ
飯白子　下三ノ廿八オ

飯つくら　上三ノ一オ

あさてたふすま　中二ノ十二ウ

あさ梢　あきれ　上三ノ二オ

あさる蘞　下三ノ三ウ

あさもく　下ノ八オ

あさる　下三ノ四オ

あぶらん　下一ノ廿九オ

あもでの杜　尾張　中三ノ卅五ウ

安のうつ思あ語　上二ノ廿四オ

鮑の貝の片思　中一ノ十七ウ

あわれ　中三ノ十三ウ

芦のさき火　上三ノ四ウ

あしづゝ　下二ノ五オ　上三ノ二ウ

あしね根　下二ノ六オ

芦の異名　上三ノ二ウ

あしろ木　下二ノ廿四オ

あしまづ　上三ノ五オ

あし鴨　同ノ四ウ

あし[illegible]　上三ノ二オ

あし戸　同ノ四オ

あしまや舟　同ノ二オ

あしわけ小舟　同ノ同

あしたまく屋物語　同ノ廿五オ

あしすされ物語　同ノ同

あし縁物語　同ノ廿四ウ

あしま垣　上三ノ四ウ

あしのまろ屋　同ノ同

あし曳乃山　中一ノ廿九オ

あなし乃神　下一ノ廿八オ

あなし山　大和　中一ノ廿四オ　下一ノ廿八オ

穴師河　下三ノ廿八ウ

あなじ風　上三ノ一ウ

穴嵐　下三ノ廿三ウ

あまきる　上三ノ五オ

あま霧　口ノ口

あまのかはら　下三ノ廿三ウ

あまなは縄ふく　下ノ卅二ウ
あまの村雲の剣　中三ノ十六ウ
天の羽衣　下二ノ十四オ　四ノ廿二ウ　四ノ四十六ウ
天真　上三ノ五オ
天の岩戸　下三ノ廿二ウ
あまひこ　山彦　上三ノ一ウ
あまくだる　下三ノ十六オ
あまのかるも拘結　天羽衣記　上三ノ廿四オ
あま拘結　上三ノ卅四ウ

海士かしら　出名之　上二ノ四ウ

あまつ神　上三ノ三オ

海人のかて　上二ノ五オ

あまのまくかき　句語く　下二ノ十ウ

あまのさくめ　中二ノ廿一オ

あまの苫屋　下三ノ廿四オ

あまそゝき　言状　上三ノ一ウ

あけの玉垣　上七ノ三ウ

あけの衣　不信し衣　上三ノ四オ

あけのそほ船　上三ノ二オ
青柏　同ノ同
青馬　同ノ五オ
青ら竹杖　下二ノ廿二オ
青鷺　上二ノ五オ
あこ　細川人ゝ　同ノ八ウ
有馬皇子物語　上二ノ五オ
あめわか物語　上三ノ廿五オ
あま物語　同ノ廿四ウ

白馬節会　下二ノ四十三ウ

あをうまちゑ　上三ノ二十

麻衣　同ノ四十

あぢむらこま　中二ノ十七オ

あら鷹　同ノ廿六オウ

あぢむら　下三ノ廿一ウ

あせこ　同ノ四オ

左

さやの中山　下ノ廿オ

さやけ　中三ノ十三ウ

さやかにも　下ノ卅ウ

高宇都川乃附帝北の狭小洞　中三ノ十七ウ

さいふつま　上三ノ二ウ

さこのおろし風　上三ノ二オ

坂　名所ー　日ノ十七ウ

貿木　上三ノ三ウ
さゞう　俳あとりつく　同ノ七オ
さつの山　菜　同ノ七ウ
さつ里枕　同ノ四オ
さくらしな　信濃　下一ノ廿三オ
佐々実の長郎山　ともに　中一ノ九オ
小夜衣・　上三ノ四オ
小夜ふる　同ノ四ウ
三昧堂　下一ノ五オ

山家　上三ノ四ウ

三人越山佐酒合佐乗勝兒説　下三ノ十七ウ

三十六人歌仙傳　上二ノ五オ

山本躰脳　俊頼散木集抄　同ノ六オ

三井集　同ノ六ウ

山月集　同ノ同

さむしろ　下一ノ十五オ

桜の粧　下二ノ十九オ

石楠草　中三ノ廿一ウ

左

さくら麻　中二ノ六ウ
さくさめのとじ　下二ノ十六ウ
里祭　上三ノ十五オ　同ノ廿二ウ
さしぬのゝ　上三ノ八オ
さしも草　下二ノ卅六オ
さし櫛　上三ノ四オ
さしぐれ　同ノ二ウ
さゝはの露　中一ノ九ウ
さゝ波　中一ノ八ウ

されぬ　上三ノ二オ
さらしあさ見大将物語　上三ノ廿四ウ
されこと　上二ノ十三ウ
嵜　茶し　上三ノ十四オ　日ノ廿二オ
さき茶見祭　中三ノ八ウ
讃　上三ノ五オ
讃ハ世さつき　中二ノ廿五ウ
さき茶　日ノ八オ
桜花寄て如礼ぐる哉　下二ノ廿三オ

さぬらく　中一ノ十九ウ

さゝらかた錦の紐　下一ノ卅六オ

早苗月　上三ノ三オ

早苗をひてす　中一ノ十四ウ

さめく　さゝめくこと　上三ノ八オ

佐保姫　日ノ三オ　下三ノ三オ

さやけき　下一ノ廿八ウ

さゝへなたあふる神　下二ノ十九ウ

さゝぬきの札　下一ノ廿三オ

さゞがふ　下ノ十一ウ

さゝもくといふ人の名　中三ノ廿ウ

雑目し　上三ノ七ウ

猿　同ノ五ウ

左衛門　同ノ三ウ

定太夫き世物語　同ノ廿四ウ

さゝまきの物語　同ノ同

狭衣北大将　上二ノ五オ　上三ノ廿四オ

さつお　小魚こ　中一ノ十七オ

左

鐵

京　上三ノ四ウ

金峯山縁起　下一ノ廿七オ

金玉集　上二ノ五オ

金葉和歌集　上二ノ四オ

玉花集　上二ノ六ウ

木　上三ノ二オ

本草類　上三ノ二オ

木丸殿　中三ノ二才

きはのこさ　出羽　下三ノ廿四才

居所部　上三ノ四ウ

埜野　中二ノ廿七才

きはゝき　上三ノ三才

霧のみなとのころ　下三ノ十七才

林葉集　上二ノ六ウ

相樸(スマヒ)立詩歌廿番　上テ五ウ

疑瀾抄　下三ノ七才　四ノ十八ウ

菊綴式　上二ノ四ウ

公任の和歌九品　上ノ廿四ウ

貴女廿人男傳　上二ノ十三ウ

雉子　上三ノ五オ

きく注　猫之　中二ノ廿四ウ

樓梓　上三ノ五オ

菓　日ノ二ウ

菊花露つも積て淵となる　下二ノ廿七オ

きくのく　きくとふるうく　上二ノ八オ

無

上一ノ六ウ

由

雪北あしたのまくら世話　下二ノ卅七ウ

雪舞能雪　上三ノ五オ

雪けの所　同ノ二オ

夕ざされ　同ノ二ウ

ゆくへ定ぬ奴大将物語　同ノ廿四ウ

弓　同ノ四ウ

ゆふしで　下一ノ廿八オ

ゆふづつ　下三ノ七ウ　上三ノ四オ
ゆつゝま櫛　中三ノ十五ウ
ゆたに　同ノ四オウ
ゆづる葉　下一ノ十三ウ
ゆづり葉　同ノ十四オ
ゆふつけ鳥　同ノ十八ウ　同ノ廿五オ
夕ゐ鳥　上三ノ四ウ
ゆふしてゆる　下一ノ十二オ
ゆふけく　下一ノ廿五ウ

ゆらぐ　中二ノ七ウ

ゆふぐり　下三ノ十九ウ

行衛子殺のし　下一ノ十二ウ

女

名所雑　上三ノ十五ウ日ノ廿三オ
明日桑　上二ノ六ウ
めざし　下一ノ廿九ウ
め貝　下二ノ十五ウ
めもあや　奇特く　めてこさく　上三ノ七ウ
謎歌云　上一ノ十五ウ
目もなく笑まけて　下三ノ廿一ウ

めの志やう月

下一ノ十四オ

美

みよし野里　中二ノ廿七ウ

みよしてあつぬたげき　御記　下二ノ卅六ウ

みまほし　上三ノ七ウ　下一ノ廿三オ

ミ清れし　上三ノ七ウ

ミ　助語　口ノ八ウ

ミ清くさ　下二ノ四十六ウ

峯　みねし　上三ノ十七ウ

みやび　中ノ十二オ

みやつこ　下ノ廿五オ

宮城野　上ノ十九ウ

御裳濯河の神風の瀬　中ノ七ウ

宮　名ならし　上三ノ十五ウ

宮ぶり　上三ノ八オ

三よし野まなくてふ桃　下ノ廿一オ

三輪の山　中二ノ十七オ　四十八オ

みつきもの　上三ノ七オ

すはしり
すの船
すみだ川の手川の泉
すつは草
すゞ虫
すゞろなる物語
水なせ
水奥
すゝき　廣葉

上三ノ四オ
下三ノ廿オ
上三ノ四オ
下二ノ四十七ウ
上三ノ四ウ
四ノ廿四ウ
下三ノ三ウ
上三ノ六オ
下二ノ四十七オ

水くゝるとは　下二ノ卅三ウ
みつ瀬川　下一ノ廿一ウ
みづがき　中一ノ廿三ウ
み熊野の浦の浜ゆふ　中三ノ廿八ウ
みたま 恩頼　同ノ廿四ウ
みたまのふゆ　同ノ廿四オ
御田屋守　下三ノ十七オ
みたまあふ　中三ノ廿四オ
三笠山　上三ノ三ウ

みがくれ　水隠　上三ノ六オ

みがきな理(?)　同ノ三ウ

みとのまくはひ(?)　中二ノ十八ウ

みどり衣　六位ノ衣　上三ノ四オ

みそばくし(?)　同ノ六オ

みそぎ河原(?)　水室淋く(?)　同ノ同

みあかし(?)雨　下一ノ十七オ

みく　子と云ぬきこ(?)　上三ノ八オ

みごもり　中一ノ十九オ

巫女　上三ノ三ウ

みこも　みかくし　同ノ六ウ

巫　同ノ三ウ

みこしろ田　下三ノ十ウ

都のみこふり　中一ノ廿一ウ

みこのくまく　下三ノ卅八ウ

みこの月　上三ノ三十オ

みこのれ木　同ノ二十オ

みこもしろ衣　下二ノ二十オ

ミ衣讐　上三ノ五オ
ミしげ　乃勝之　四ノ六ウ
ミ何れ　下三ノ十オ
ミす　上三ノ四オ

之

路 しるし　上三ノ十四ウ　同ノ廿四ウ

しまね 根 地　同ノ一ウ

しまひこ 嶋こ　同ノ二ウ

しましく 根おしまし／みなのいそしく　上三ノ七オ

し 助語　同ノ八ウ

しも 同上　同ノ四

しら月　同ノ三オ

志賀寺　中二ノ八オ

志賀のあま　筑紫　下二ノ廿オ　中一ノ廿ウ

志賀　中ノ九ウ

志賀寺縁起　同ノ同

康なさしてうとふ　同ノ二ノ廿八オ

康　上三ノ卅オ

志づし　方角之　中二ノ五ウ

志のすこの　さはのこ　上三ノ八オ

志のおよ　さるとふ句　同ノ同

志きあみ　若衆盛鑑　上三ノ六オ

志きつめたる物語　日ノ廿四ウ

塩竈明神此命婦親子まゝ之才　中三ノ十九オ

塩竈明神　中三ノ十八ウ

志ほせつる　上三ノ六ウ

汐焼衣　日ノ四ウ

志ほ船　日　二オ

志ほ貝　日ノ白

袖水　中一ノ廿七ウ

親王十八人男侍　上二ノ十二ウ
親王　上三ノ三ウ
人倫部　同ノ同
新撰髄脳　上二ノ廿オ
新後拾遺　同ノ同ウ
新撰三十六人歌　上二ノ廿ウ
新撰和漢朗詠　同ノ同
神祇部　上三ノ三十オ
新嘗会　下二ノ四十三ウ

神社　名ハし　上三ノ十五ウ

しめぢが原　鹿　下二ノ廿六オ

しめ縄　下三ノ三ウ

しめいろむ　上二ノ二ウ

頌　上一ノ七オ

神楽拍　上二ノ六オ

續後撰集　上二ノ六オ

諸国歌枕　出名く　上二ノ五オ

しきつの浦　後者の名所　中一ノ十四オ

志きゝ波　上二ノ六ウ
四境の祭　下一ノ十九ウ
鴫ハ四十志ぎ　中三ノ廿五ウ
鴫の羽がき　下一ノ十九ウ
志きこへ　中二ノ十五ウ
志ぎ鳴　下一ノ廿三ウ
志むし　下一ノ廿三オ
志ぎ鳴　上三ノ六ウ
志ぎ鳴　下一ノ廿三ウ

しも舡　下ノ廿三ウ

しもせ月　十二月　上三ノ三オ

紫垣　日ノ四ウ

しつへの宮　日ノ三ウ

しりくへ[illegible]　淸字　中ノ十三ウ

忍営[illegible]　下一ノ四十六オ

樹下[illegible]　上三ノ五オ

しづり　[illegible]　上[illegible]ノ一ウ

しつめ　[illegible]　下三ノ六ウ

しづもち市　下三ノ六ウ　下二ノ十六オ

倭文のをだまき　下一ノ廿二ウ

しづえ　上三ノ六オ

しでうつ　静かなる　口ノ七オ

しでの田長　下一ノ廿六オ

しのをすゞき　上三ノ一ウ

しのゝめ　下一ノ十四ウ

忍音物語　上三ノ五オ　上三ノ廿四オ

志ぬ屋　上三ノ四ウ

白毛鷹　上三ノ五オ

白四ふ　下一ノ廿八オ

志らまゆみ　中二ノ十一オ

志らみぎて　下三ノ廿二オ

志らなみ　盗人　上三ノ四オ

新撰菟玖波抄　上二ノ七オ

志らい物語　志らい記　上三ノ廿四オ

續詞花集　上二ノ四オ

志られ物語　上三ノ廿四オ

詞花集　上二ノ四ウ
賀具紀　上三ノ四オ
ありつのうき物語　日ノ廿オ
猫の丸江物語　日ノ日。
あまき　くつし　日ノ八ウ
上陽人　下二ノ卅八オ
待従　上三ノ三ウ
源平　下二ノ廿三ウ
紫檀の綴息　上一ノ廿五オ

しのび　下楢之　　中一ノ十八ウ

しらひ　　上三ノ卅オ

しけ京　　同ノ同

しゝ孫　是山　　同ノ一ウ

下紐のとくる　　中三ノ卅オ

しどけなしがき　下紐のがき　　下一ノ十九ウ

しら星　　上三ノ三オ

しつとり　　中三ノ十九ウ

しら楷　　中三ノ卅一オ

深窓秘抄

白山桜

しやうふ草

白菊ハ花より後の花なし　下二ノ卅三ウ

しの薄　上三ノ二ウ

しや　おそれと云義　中二ノ五ウ

しつくいそけし　中三ノ卅九ウ

しとみ　きのあしき　上三ノ七ウ

しけめく　難義く　下二ノ卅二オ

白妙　下六ノ丗二オ

恵　[illegible]

恵之　[illegible]　上三ノ六オ

田座　上一ノ廿六オ

恵異　中一ノ廿オ

比

比　六巻ノ二　上一ノ六ウ

火　上三ノ四ウ

氷室　下三ノ十三ウ

日影比明神　紀伊　中三ノ十四ウ

人具　上三ノ六ウ

一ときちる花をちらしの　下二ノ四十二オ

人来ぬとく　上三ノ六ウ

ひと本菓　上三ノ二ウ

ひと村藤　日ノ日

一言主神　下上ノ廿六オ

ひれふる嶺 紀の哥　中ノ廿六オ

聖帝歌　上一ノ十四ウ

華ちる　中上ノ卅オ

ひつぢ 再生の稲　上三ノ六オ

ひえ花 宮柱　日ノ七ウ

ひたぶる　日ノ八オ

ひらつる　上三ノ七ウ

ひらひらの姫ゑらく　中三ノ廿九ウ

直垂帯　中一ノ六オ

日吉明神　中二ノ十七ウ

平題　上二ノ廿二ウ

檜扇　下一ノ廿八オ

雲雀あかゝる　中一ノ十六ウ

膝行騎　中三ノ卅一ウ

ひざくし　中二ノ九オ

ひやう風　上三ノ一ウ
引手阿また　下一ノ十七ウ
日ぐらし　蜩　上三ノ五オ
蜩の声　下一ノ廿一オ
廣前　旅まふ　下二ノ四十七オ
ひろゐ物語　上三ノ廿五オ
ひなのまつれ　下一ノ卅二ウ
ひな　中一ノ廿一ウ
日たなみ　上三ノ五ウ

ひぢかさ雨　上三ノ一ウ

百首和歌　上ノ廿二ウ

百韻誹　上二ノ六ウ

百済門　寂池心　口ノ口

ひきりわ白　上三ノ五ウ

披講　上一ノ廿六オ

翅とけ　中三ノ卅オ

ひもろぎ　下三ノ七オ

ひろこかつく物語　上三ノ廿五オ

百詠　出名　下ノ卅才

毛

武士の八十宇治河	中二ノ七オ
物うきやと物語	上三ノ廿四オ
物語名	日ノ日
もれいて　物芹	日ノ七オ
文字鏁	上一ノ十七オ
文字あまり哥	日ノ七ウ
も流山　此名	日ノ十八ウ

もやし　雨夜　中三ノ廿オ

最上河　下一ノ卅一オ

藻かり船　下三ノ三オ

もろ人　同ノ廿三ウ

も紅葉の流れ　葵　上三ノ二ウ

もろ葛　葵　同ノ同

もろ人　下三ノ六オ

盛　名に―　上三ノ十九オ

藻塩草　下三ノ廿四オ

もくしき　上三ノ四ウ

もとあらの桜　同ノ二オ

もとあらの萩　同ノ二ウ　同ノ六オ

もとこし駒に情の錯てる　下二ノ十オ

もとゝき　出名之　上二ノ五ウ

もとあらの垣　上三ノ四ウ

望月物語　同ノ廿四オ

もちはなし　同ノ二ウ

猶者　同五ウ

けむすむ虫　下一ノ卅一オ

駱の子くさ　中一ノ十一オ

けぶしつの餅　同ノ十七ウ

紅葉ふ　上三ノ二ウ

世

関　名和一　上三ノ十一ウ

迫門　名和一　四ノ廿一ウ

瀬　名和一　四ノ廿一ウ

撰集抄時代　上二ノ三オ

伊勢〻し物語　上三ノ廿四ウ

千載集　上二ノ四ウ

伊勢〻し昔男　中三ノ四ウ

蟬　上三ノ五オ
蟬の羽衣　同ノ四オ
生具　同ノ六オ
旋頭歌　上ノ十一オ
聲音痛　上ノ十八ウ

須

住吉四所　下一ノ廿六ウ

住よしの松　上一ノ廿五ウ

住の江の松　四ノ四

住吉物語　上三ノ廿四オ　上二ノ五オ

墨染の衣　上三ノ四オ

末の松山　下一ノ廿九オ

須

末葉乃露物語 — 上二ノ五オ
すゞ乃家 — 中一ノ八オ
すゞ乃屋 — 上三ノ四ウ
すゞ里物語 — 上三ノ廿四ウ
すゞむし 伝経 — 同ノ三ウ
すゞ鴨 — 同ノ四ウ
鈴虫 — 同ノ五オ
すゝき草 堅筆之 — 同ノ二ウ
蕨 — 同ノ口

すゝみ子　同ノ同
醉醒集　上二ノ七オ
すいゑ物語　上三ノ廿五オ
すなどり　中一ノ十七ウ
すき好物語　上三ノ廿五オ
過ぐので　下三ノ廿九ウ
杉戸　上三ノ四ウ
すくもたく火　下二ノ八オ
すぐろ北落　上三ノ二ウ

すがゝき　唐し　同ノ五オ

すゞの村雨　上三ノ四ウ

菅枕　同ノ八

菅莚　上三ノ四オ

菅の笠　同ノ四ウ

菅　同ノ二ウ

篶　同ノ四オ

すさめぬ　同ノ七ウ

す居しき　下三ノ十三ウ

相撲立の詩欲世為

上二ノ五ウ

本草和名字類　全

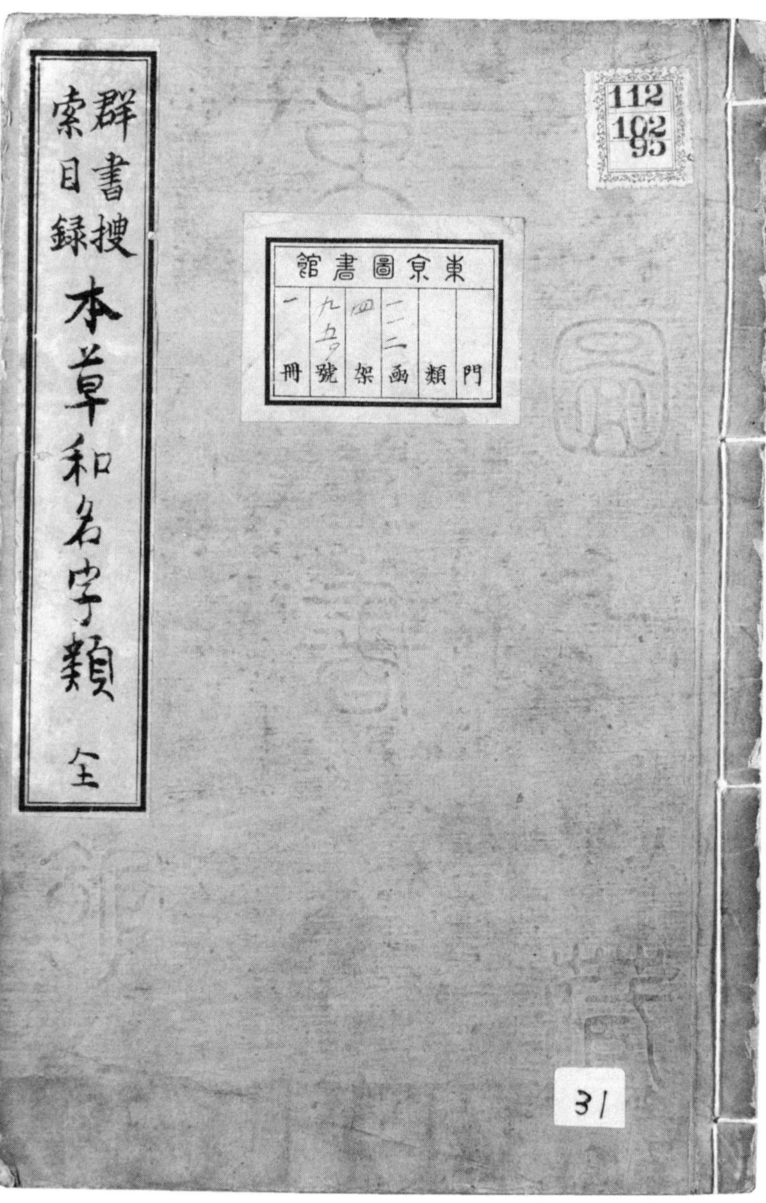
群書捜索目録
本草和名字類　全
東京圖書館
門 類 函 架 號 冊
二二 四 九五 一
112
102
95
31

本草和名字類

全

本草和名字類を詞をゑらんふんしつきよの
世にささなれたると摘みてあれし詞
本草をれひとつ條に葉の次れこを別て
薬名をそと、本藏も藁火も一條に挙
大藥の次をもおのし出たるかまし
かれかそのくはしきことは原本に記て
もとむ属く　于時文化十二年八月　高田
与清

以

以波久須利　上ノ十五ウ

以波之

伊波久美　四ノ十五ウ

伊波都々之　四ノ廿九オ

以波久佐　四ノ十六オ

以波乃加波　四ノ四十オ

以波古介　四ノ廿九オ

四ノ廿九オ

四ノ十六オ

以倍尓礼　[力]　上ノ卅七オ　円ノ五十四オ

以倍都以毛　下ノ廿一オ

以知比　[力]　上ノ四十九ウ　下ノ四ウ

以知古　上ノ四十六ウ　下ノ廿八ウ

以奴和良比　上ノ廿九オ

以奴多天　上ノ卅六ウ

以奴阿良々岐　下ノ卅八オ

以奴衣　下ノ卅七ウ　円卅八オ

以乎　下ノ廿オ

以手須岐　上ノ五十オ
以加　下ノ十九オ
以加比　下ノ廿七オ
以加留加　下ノ十二オ
以多比　上ノ五十八ウ　下ノ卅三オ
以多止利　上ノ四十二オ
以多也加比　下ノ十四ウ
以多知波世　上ノ四十三ウ
以多知久佐　同ノ同

標

以多知波之加美　上ノ五十六ウ　下ノ二ウ

以太比 標　下ノ卅三オ

以祢乃毛也之　下ノ四十三オ

以祢乃与祢 標　下ノ四十四オ

以奈岐久佐 標　上ノ十六オ

以奈古末呂　下ノ廿八オ

以良々久佐　上ノ四十四ウ

以天加良　下ノ五十五オ

伊岐久佐　上ノ廿一オ

櫰　以之乃知　上ノ三ウ

カ　以之　上ノ七オ

以之加女　下ノ十五オ

以之波比　上ノ十ウ

以比祢　上ノ十八ウ　同四十二ウ

以毛　上ノ十四ウ　下ノ卅一オ

呂

呂布　　下ノ廿一ウ

波

波々古　上ノ十七オ

波々古久佐　上ノ卅四ウ

波々加乃美　下ノ卅オ

波々久利　上ノ廿七ウ

波閇　〔刀〕　下ノ廿六ウ

波止　下ノ十二ウ

波止久佐　上ノ廿七ウ

波知須乃美　〔刀〕　下ノ廿九オ

波気乃古　下ノ十三ウ
波気乃須　下ノ十七オ
波利　上ノ五十九ウ
波利乎　下ノ廿六オ
波加利久佐　上ノ廿六オ
波加知須乃美　下ノ廿九オ
波加末　上ノ廿二オ
波太、　上ノ七ウ
波奈　上ノ廿四ウ　下ノ四十三ウ

波年　下ノ十五ウ
波久信良　上ノ四十六ウ　下ノ卅九オ
波也比止久佐乃女　上ノ卅九オ
波也比止久佐　上ノ廿九オ　同卅九ウ
波末尓礼　上ノ卅九ウ
波末多加奈　上ノ卅八ウ
波末佐々介　上ノ廿三オ
波末世利　上ノ廿四オ　同卅九オ
波末波比　上ノ五十二ウ

波末尓加奈　上ノ十九ウ
波末須加奈　同ノ同
波万久理 [標]　下ノ廿七ウ
波末比之　上ノ十九ウ
波末阿加奈　上ノ十六ウ
波末布久良　上ノ廿一ウ
波末多加奈 [イ]已布尓　同ノ同
巳ハ布尓　上ノ十オ
波古岐　下ノ三オ

波衣　上ノ四十五才

波岐　上ノ四十六才

波美　（上ノ廿三才　同四十九ウ
（下ノ廿一才　同卅三才

波之波美　下ノ三十三才

波之　上ノ四十七才

波之加美　（上ノ廿六ウ　同卅四ウ
（同五十六ウ　同五十七ウ

波之加美以乎　下ノ廿七才

波比末由美　上ノ五十二才

波比之波　上ノ廿六才

波比　（上ノ十ウ　口五十ウ

波世　口五十二ウ

波世手波　上ノ四十三ウ

波須　上ノ四十九オ

上ノ十オ

仁

仁　上ノ二ウ
尒波久奈布利　下ノ十三オ
尒波止利　下ノ十ウ
尒波久奈布利　下ノ十一ウ
標
尒波久佐　上ノ十九オ
尒波曽　上ノ卌八ウ
尒加宇利乃保曽　下ノ卌四オ
尒加比佐古　下ノ卌八ウ

尓加波　下ノ六ウ

尓加奈　(上ノ十八オ　日ノ十九ウ
　　　　(下ノ廿五ウ

尓礼　(上ノ卅七オ　日ノ卅九ウ
　　　(日ノ五十六オ　日ノ五十八オ

尓都々之　上ノ四十一オ

尓已太　上ノ十五ウ

尓岐女　上ノ卅六ウ

尓之　下ノ廿六ウ

尓比万久作　上ノ四十四オ

尓比曽　上ノ卅八ウ

保

保　上ノ卅九ウ

保呂之　上ノ十八ウ

保ゝ加之波乃岐　上ノ五十五ウ

保ゝ都岐　上ノ卅一ウ

保止　上ノ五十一オ

保ゝ利　カ　上ノ四十七ウ

保多留　下ノ廿三オ

保曽　下ノ卅四オ

保曽知　下ノ卅四ウ

保曽之　標　上ノ廿八ウ

保曽美　上ノ四十三オ

保曽岐　下ノ二ウ

保曽久美　上ノ四十二オ

保祢　(下ノ五オ　旧八オ
旧四十オ)

保夜者　標　下ノ廿七オ

保也　上ノ五十三オ

倍

倍良　上ノ四十六ウ

倍美以知古　上ノ四十六ウ

倍美乃毛奴介　下ノ廿八ウ

止

止　下ノ五十四オ

止〻岐　（上ノ廿ウ 日四十オ）　日七八オ

止利乃阿之久佐　上ノ十六ウ

止利　上ノ四十六オ

止利乃祢久佐 標　上ノ十六ウ

止加介　下ノ十七オ

止祢利古乃岐　上ノ五十七オ

止久　（上ノ四十五オ 日四十七オ）

止古呂　（上ノ廿七ウ　ワ廿九オ
下ノ三十三ウ

止比良乃岐　下ノ一オ

止比乃古之良　下ノ十二オ

知

知 [カ]	下ノ六オ
知	下ノ五十三オ
知ゝ乃波久佐	上ノ卅二オ
知ゝ加ゝ加加布利	下ノ卅四ウ
知乃祢	上ノ卅一ウ
茶チヤ也	上ノ五十八ウ
知佐	下ノ四十オ
知女久佐	上ノ卅オ

知比佐岐衣
知比佐岐古介

下ノ卅八オ
上ノ四十五ウ

利

利字古字 ［標］

下ノ卅三才

奴

奴波乃美　上ノ四十九オ

奴波利久佐　上ノ卅三ウ

奴加　〔刀〕　上ノ四十七オ

奴加古　下ノ五十五ウ

奴加都岐　上ノ卅二オ

奴奈波　下ノ卅九オ

奴天乃岐乃牟之　下ノ十七オ

奴美久須祢　上ノ五十五オ

奴美久須利

上ノ廿六オ

遠

乎　上ノ五十ウ

乎止乎止之　上ノ廿五ウ

乎止乎之　上ノ十二オ

乎知　下ノ卅九ウ

・乎加末都乃也尓　上ノ五十一ウ

乎加都ゝ之　上ノ四十一オ

乎加岐乃加比　下ノ十三ウ

乎加止ゝ岐　上ノ卅八オ

乎曽 下ノ十オ

乎祢須美 下ノ廿ウ

乎奈以女 上ノ五十四ウ

乎乃祢 上ノ四十六ウ

乎久都 上ノ五十ウ

乎介良 上ノ十二ウ

乎之 下ノ十三オ

乎之加乃保祢 下ノ八オ

和

和多々比　下ノ四オ

和多比 〔カ〕　上ノ卅七ウ

和多　下ノ五十二オ

和良比　上ノ廿九オ　同 四十一ウ
（下ノ四十オ

和良乃波比　上ノ五十ウ

和佐比　下ノ卅九ウ

加

加伊奈　上ノ四十五オ

加波知佐乃岐　下ノ四ウ

加波多介　上ノ五十六オ

加波宇須岐ゝ波多　標　下ノ三オ

加波加女　下ノ十八ウ

加波　上ノ廿九オ

加波保袮　下ノ四十オ

加波也奈岐　下ノ三オ

加波良与毛木 〔標〕　上ノ十五オ

加波保利　下ノ五十六ウ　四十九ウ

加波佐久　上ノ廿五ウ

加波良与毛岐　下ノ十八ウ

加波良布知乃岐　下ノ三ウ

加波祢久佐　上ノ廿四ウ

加波美止利　上ノ五十五オ

加波良佐〻介　上ノ廿三オ

加波〻之加美　上ノ五十七ウ

加波祢久佐　上ノ五十オ

加波久未都ゝ良　上ノ五十七ウ

加波　上ノ五十七ウ（口五十九オ）

加波良於波岐　上ノ十五オ

加尓　下ノ十九ウ

加尓波佐久良乃美　下ノ卅オ

加尓比　上ノ卅九オ

加保　上ノ四十七ウ

加倍留　下ノ廿ウ

加信乃美　（上ノ五十一ウ／下ノ二オ）

加知乃岐　上ノ五十四ウ

加知須留所乃都知　［標］　上ノ十ウ

加利波乃美　上ノ五十六ウ

加利　下ノ十ウ

加ゝ美　上ノ四十三オ

加ゝ乃三亘　［標］　下ノ廿二ウ

加ゝ　下ノ廿四ウ

加ゝ美　上ノ廿三ウ／日ノ卅三オ

加ゝ毛　[標]　上ノ廿三ウ

加多之呂久佐　上ノ四十七ウ

加多波美　上ノ四十九ウ

加多都布利　下ノ廿四ウ

加太千　[標]　下ノ廿一ウ

加都祢久佐　上ノ廿六ウ

加都良　（旧上ノ十九オ　旧廿二ウ
旧四十五オ　旧五十二ウ）

加都良乃安不良　上ノ五十二ウ

加祢乃佐比　上ノ七ウ

加奈久曽　上ノ七ウ
加良阿為　下ノ五十四オ
加良阿布比　下ノ卅九オ　同四十オ
加良　下ノ五十五オ
加良須毛岐　下ノ四十二ウ
加良之　下ノ三十六ウ
加良比 [標]　下ノ廿五ウ
加良多知　上ノ五十七ウ
加良宇利　下ノ三十四ウ

加良牟之乃祢 [標] 上ノ四十六ウ
加良加之波 上ノ四十八オ
加良毛ゝ 下ノ卅七ウ
加良波之加美 上ノ五十六ウ
加良須阿布岐 上ノ四十一ウ
加良衣比 下ノ廿五ウ
加良須宇利 上ノ廿八オ
加良須牟支 [標] 上ノ五十ウ
加牟之 下ノ卅二ウ

加宇布利以知古　下ノ廿八ウ
加宇礼牟加宇乃実　下ノ廿八オ
加乃尓介久佐　上ノ十五ウ
加乃都乃ゝ尓加波　下ノ六ウ
加乃知加都乃　下ノ八オ
加久末久佐　上ノ廿ウ
加也久岐　下ノ五十四ウ
加末　上ノ廿二オ
加末　上ノ廿五オ

加之乃都乃　下ノ七オ
加末奈　上ノ四十四オ
加末都知　上ノ十ウ
加末保　上ノ卅九ウ
加末奈　上ノ四十四オ
加末乃波奈　上ノ廿一ウ
加末之ヽ乃都乃　標　下ノ七オ
加末都保　上ノ卅九ウ
加末久佐　標　上ノ廿オ

加末古毛　上ノ四十七オ
加介呂布　標　下ノ廿一ウ
加布利　下ノ廿四ウ
加布知　下ノ卅二ウ
加江　上ノ五十一ウ
加佐毛知　上ノ卅オ
加佐　上ノ四十七ウ
加佐毛知　上ノ廿六ウ
加佐ゝ岐　下ノ十一ウ

加佐久佐　上ノ廿一オ
加佐女　下ノ十九ウ
加岐　下ノ卅ウ
加岐都波太　上ノ卅二ウ
加岐呂布　下ノ廿一ウ
加岐都波奈　上ノ四十二オ
加女　下ノ十五オ　同十八ウ
加美於古之奈　上ノ四十四ウ
加美　下ノ十オ

加三　下ノ八オ
加美乃也　上ノ十二オ
加之波岐　上ノ五十五ウ　下ノ五ウ
加之波乃岐　上ノ五十五ウ
加之波　上ノ四十八オ　同五十五オ
加之良　下ノ十二オ
加比古乃以天加良　下五十五オ
加比　下ノ十三ウ　同十四オウ
加比古乃久曽　下ノ五十三オ

加比古 下ノ十七ウ

加毛宇利 下ノ廿四オ

加毛 下ノ十ウ

加須 下ノ五十五ウ

加世 下ノ廿七オ

與

与呂都	下ノ廿六オ
与呂叱久佐	上ノ卅オ
与祢	下ノ四十三オウ　同四十四オ
与毛岐乃和多	下ノ五十二オ
与毛岐	(上ノ十七オ　同十八ウ (同卅五ウ
与毛木 [カ]	上ノ十五オ

太ヽ

多介　上ノ九ウ

多知波奈　（上ノ卅二ウ　下ノ卅二ウ）

多知波奈　標　上ノ五十五オ

多知　上ノ五十六ウ

太ヽ知末知久作　上ノ四十五オ　同四十九オ

多加牟奈　上ノ五十二オ

多加奈　（上ノ廿一ウ　下ノ卅六ウ）　同卅八ウ

多加比　下ノ卅七ウ

多加乃久曽　下ノ十四オ
多ゝ介　下ノ八ウ
多ゝ比　上ノ卅七ウ
多ゝ与祢　下ノ四十四オ
太都久留美都　上ノ四十七ウ
多都乃保祢　下ノ五オ
太ゝ都乃比介　上ノ廿オ
多都乃岐　上ノ五十二ウ
多都比　下ノ廿四オ

田

多奈　上ノ四十九ウ
多良　（上ノ五十八ウ／下ノ卅三ウ）
多牟岐　上ノ五十七オ
多牟　上ノ卅三ウ
太末　上ノ十七ウ
多末　上ノ五十一オ
多介　（上ノ五十六オ／下ノ四十ウ）　日本十九オ
多介加佐乃也礼　上ノ四十七ウ
多介乃美　上ノ五十六オ

ヨ古　下ノ廿三オ

ヨ天　(上ノ廿三ウ　ワ子十オ

下ノ卅七オ

ヨ叱　下ノ廿四ウ

曽

曽波牟岐　下ノ四十四ウ

曽々岐　上ノ廿四ウ

曽良之　上ノ廿六ウ　下ノ四十オ

曽良之 因　上ノ卅オ

曽久止久　上ノ四十五オ　同四十七オ

津

都波比良久々佐　下ノ卅五ウ

都波岐　下ノ四ウ

都波比良久佐　上ノ十七ウ

都波久良女　下ノ十一ウ

都保久佐　上ノ卅五オ

都保　下ノ廿二ウ

都知波之加美　標　上ノ廿六ウ

都知乎保利太都久留美都　標　上ノ四十七ウ

都知　上ノ九オウ
都知多介　下ノ四十ウ
都知多良　上ノ十六ウ
都留波美乃美　下ノ四ウ
都留　上ノ四十七オ
都加都美　上ノ四十一オ
都加利久佐　上ノ廿五ウ
都加　上ノ五十ウ
都多　上ノ七ウ

都ゝ岐　下ノ五十四ウ

都ゝ美乃也礼加波　[標]　上ノ四十七オ

都ゝ良　上ノ四十六ウ

都ゝ之　上ノ四十一オ

都奈岐　上ノ四十三オ

都奈岐久佐　上ノ十六オ

都良　上ノ廿ウ　口四十八ウ　（下ノ五十三ウ）

都乃未多　下ノ四十ウ

都ゝ乃牟之　下ノ十八オ

都乃宇利　下ノ卅四オ

都乃　（下ノ六ウ　口七オウ
　　　口八オ　口卅三ウ

都久美乃以比祢　上ノ十八ウ

都久毛　下ノ五十三ウ

都末女　上ノ四十三ウ

都布利　下ノ廿四ウ

都布祢久佐　上ノ卅オ

都岐久佐　下ノ五十三ウ

都岐　下ノ五十一ウ

都岐祢久佐　上ノ四十オ
都之太末　上ノ十七ウ
都之毛　下ノ五十三ウ
都比　下ノ廿四ウ　同廿七オ

祢

祢奈之久佐　上ノ十八ウ

祢布利乃岐　上ノ五十七ウ
祢古来　下ノ八ウ
祢古来乃久首　下ノ五十三オ
祢阿佐美　上ノ四十四オ
祢須美乃都知　下ノ五十四オ
祢須美　下ノ廿ウ

奈

奈　（上ノ十三ウ　下ノ卅五ウ

奈以　下ノ卅二ウ

名奴岐　下ノ五オ

奈波世美　下ノ十七ウ

奈波　下ノ卅九オ

奈加都加三　下ノ八オ

奈加久佐　上ノ四十四オ

奈与之　下ノ廿五ウ

奈都奈	（上ノ卅八ウ （下ノ卅五ウ
奈都女乃波利	上ノ五十九ウ
奈部女	（上ノ五十四ウ （下ノ廿八ウ　同廿九オ
奈久美奴岐	下ノ二ウ
奈末奈都女	下ノ廿九オ
奈末爲	上ノ十四ウ
奈末利	上ノ十オ
奈末之支奈都女　標	下ノ廿九オ
奈末都	下ノ廿五ウ

良

奈天之古　上ノ廿九ウ

奈岐　上ノ卅七オ

奈女久知　下ノ十八ウ

奈美久奴岐　下ノ二ウ

奈美犬奴岐　同ノ同

奈之　（上ノ五十七オ　下ノ卅二オ）

奈毛美　上ノ卌一オ

奈須比　（上ノ十七オ　下ノ卅六オ）　同　卅九ウ

標

武

牟呂乃岐　下ノ五十五オ
牟加天　下ノ廿二オ
牟奈岐　下ノ十六オ
无良佐岐　上ノ卅ウ
牟久乃岐　上ノ五十八ウ
牟久礼之　下ノ二オ
牟末乃都保加比　下ノ廿四オ
牟末乃久保加比　下ノ廿オ

馬乃万良　下ノ七ウ

牟古岐　上ノ五十三ウ

牟支　上ノ五十ウ

牟岐　下ノ四十二ウ　又四十四ウ

牟女　下ノ卅オ

无之呂　上ノ廿四オ

牟之　下ノ十七オ　又十八オ

宇

宇	下ノ十二オ
宇波良	上ノ廿九ウ　同四十オ
宇波良乃美	上ノ廿四ウ
宇尒	下ノ廿六ウ
宇倍	上ノ四十七ウ　下ノ一ウ
宇止	上ノ十六オ　同卅オ　同卅四ウ
宇利	上ノ廿八オ　下ノ卅四ウ
宇利乃依祢	下ノ卅四オ

宇利波閉　下ノ廿六ウ
宇苗之袮　下ノ四十三オ　同四十四オ
宇苗比　上ノ四十五ウ
宇多加久佐　上ノ十六ウ
宇多奈　上ノ廿七オ
宇都保乃美都　上ノ四十七ウ
宇都乃波　上ノ四十二ウ
宇都末女　標　上ノ四十三ウ
宇都岐　下ノ五オ

宇都岐　下ノ二ウ
宇都良　下ノ十二ウ
宇无岐奈　上ノ廿二オ
宇牟岐乃加比　下ノ十四オ
宇久比須乃佐備加岐　上ノ廿九オ
宇久比須乃以比祢　上ノ四十二ウ
馬乃万良　下ノ七ウ
宇末布〻岐　上ノ卅五オ
宇末岐多之　上ノ卅七オ

宇末佐久　上ノ四十二ウ

宇末世利　上ノ廿五ウ下ノ卅八ウ

宇末都奈岐　上ノ四十三オ

宇古末 標　下ノ四十一ウ

宇古呂毛知　下ノ十オ

宇佐岐宇　口ノ四

宇佐岐　下ノ八ウ

宇岐久佐　上ノ卅八オ

宇美加女　下十五オ

宇之乃古都乃　下ノ七ウ

宇之乃比太比　上ノ廿オ

宇之久佐　上ノ四十九ウ

宇之乃知 [標]　下ノ六オ

宇須岐 [力]　下ノ三オ

為

為　（上ノ四十五ウ　下ノ九ウ　ヨノ卅一ウ）

委　下ノ廿六オ

為乃古　下ノ九ウ

為乃止々岐　上ノ四十オ

為乃久都知　標　上ノ十六オ

為乃之（○之カ）　下ノ九ウ

為乃阿布良　下ノ九オ

為乃久都知　上ノ十六オ

為美止利

乃

乃波利　上ノ卅三ウ

乃利　上ノ卅六ウ　下ノ四十才

乃加〻毛　標　上ノ卅四才

乃加〻年　〃ノ〃

能加〻美　標　〃ノ〃

乃良衣　下ノ卅七ウ

乃宇世宇　上ノ五十八才

乃宇世宇乃加奈良　標　上ノ五十八才

乃々衣　下ノ廿八オ

乃之　上ノ卅ウ

乃世利　上ノ十六ウ　ワ廿七オ

於

於波岐

於尓乃也加良

於尓止古呂

於尓和良比

於尓布須信

於尓保美久佐

於保美良

於保比乃美

標

上ノ十五オ　日四十三ウ

下ノ四十ウ

上ノ廿三オ

上ノ廿九オ

上ノ廿九オ　日四十一ウ

上ノ四十六ウ

上ノ四十二オ

下ノ卅七ウ

下ノ卅六ウ

於保衣乃美　下ノ卅六ウ
於保宇波良　上ノ廿九ウ
於保波古　上ノ十七ウ
於保都知　上ノ廿九ウ
於保加美　下ノ十才
於保之　上ノ卅八才
於保美留久佐　上ノ四十二才
於保惠美　上ノ十三ウ
於保由美乃都留　上ノ四十七才

於保多良乃美　上ノ五十八ウ
於保知加布久利　下ノ十四オ
於保祢　下ノ卅六オ
於保尒之　下ノ廿六ウ
於保加美乃知　下ノ五十三オ
於保世利 標　上ノ廿五ウ
於保由美乃也波須　上ノ十オ
於保波知乃須　下ノ十七オ
於保衣比加都良　下ノ廿八オ

於保阿岐　下ノ廿六ウ
於保々曽美　上ノ四十二オ
於保波　上ノ卅二ウ
於保比留　下ノ卅九ウ
於保末女　下ノ四十一オ
於保止利　下ノ十一オ
於保之加乃阿布良　下ノ九オ
於保奈都女　下ノ廿八ウ
於保阿布　下ノ十七ウ

於无奈加都良久佐　上ノ廿二ウ

於宇　上ノ四十オウ

於古之奈　上ノ四十四ウ

於古　上ノ卅六ウ

於岐奈久佐　上ノ四十四オ

於女牟之　下ノ十八オ　同廿七ウ

於之久佐　上ノ廿八オ

於之久佐　標　上ノ十六ウ

於毛多加　上ノ十四ウ　下ノ卅一ウ

於毛

久

久呂女久佐　上ノ卅一オ

久呂久和為　下ノ卅一ウ

久呂久佐　上ノ廿四オ

久呂尓之　下ノ廿六ウ

久呂加祢乃波太ヽ　上ノ七ウ

久波乃加波　上ノ五十九オ

久波乃岐乃保也　上ノ五十三オ

久波乃美　上ノ五十九オ

久波乃多介　上ノ五十九オ
久祢奈之　上ノ五十七オ
久知　下ノ廿三オ
久知良　下ノ廿五ウ
久知女久佐 〔標〕　上ノ卅オ
久利　下ノ卅オ　同　五十二オ
久奴岐　上ノ五十五ウ　下ノ二ウ
久留久佐　上ノ廿七ウ
久留信岐奈　下ノ五十一ウ

久留美　下ノ卅三オ
久和為　下ノ卅一ウ
久礼乃於毛　上ノ卅七ウ
久礼乃波之加美乃宇止　上ノ卅四ウ
久礼乃波之加美　上ノ卅六ウ
久礼多介　上ノ五十六オ
久曽　下ノ十一オ
久曽末由美乃加波　上ノ五十七ウ
久曽牟之　下ノ卅三ウ

カ

久曽	(上ノ七ウ 下ノ五十三オ (下ノ五十四オ
久都	上ノ五十ウ
久都知	上ノ十六オ
久良々	上ノ廿八ウ
久良介	下ノ廿六オ
久々佐	下ノ五十三ウ
久末乃以	上ノ十五ウ
久末都々良	上ノ四十六ウ
久末乃阿布良	下ノ六オ

久末和良比	上ノ廿九オ
久未	上ノ五十七ウ
久佐奈須比	下ノ卌六オ
久佐布	下ノ十六ウ
久佐為奈岐	下ノ十オ
久佐岐	上ノ四十五オウ
久佐	上ノ十二オ　同三十三オ
久岐	（上ノ五十五ウ （下ノ四十二ウ　同ノ五十四ウ
久美　標	下ノ卅ウ

久美　上ノ十六オ　同四十五オ
　　　下ノ廿三ウ

久之加　下ノ八オ

久比奈　下ノ十二ウ

久毛　下ノ廿一オ

久須加都良乃波衣　上ノ四十五オ

久須乃祢　上ノ廿七オ

久須利　上ノ十五ウ　同廿六オ

久須祢　上ノ五十五オ

也

也波須　上ノ十オ
也波良久佐　上ノ廿三オ
也尓　上ノ五十一ウ
也尓礼乃美　上ノ五十八オ
也尓礼　上ノ五十四オ
也加良　上ノ廿三オ
也加也支　標　上ノ五十八オ
也礼　上ノ四十七ウ

也礼加波　[カ]　上ノ四十七オ

也奈岐　下ノ三オ

也末宇都岐乃波　上ノ四十二ウ

也乃宇倍乃古介　上ノ四十七ウ

也末阿良々岐　上ノ五十四オ

也末宇波良　上ノ四十オ

也末止利久佐　上ノ三十二オ

也末多知波奈　上ノ三十二ウ

也末佐久　上ノ四十八ウ

也末加之波　上ノ五十五ウ
也末止古呂　上ノ廿七ウ
也末加ゝ美　上ノ四十三オ
也末都以毛　上ノ十四ウ
山乃以毛　同ノ同
標
也末恵美　上ノ十三ウ
也末布ゝ岐　上ノ卅二ウ
也末世利　上ノ廿五ウ
也末奈須比　上ノ十七オ

也末志　上ノ廿七ウ
也末毛々　下ノ卅三オ
也末比々良岐　上ノ十八ウ
也末須介　上ノ十二ウ
也之　下ノ廿七ウ

末呂年之　下ノ卅三ウ

末呂　下ノ廿八オ

末加也岐　上ノ五十八オ

末多　下ノ四十ウ

末都乃古介　上ノ五十九ウ

末都保止　上ノ五十一オ

末都乃也尓　上ノ五十一ウ

万良　囫　下ノ七ウ

万マ良ラ　下ノ七ウ

末天乃加比　下ノ廿三ウ

末岐久佐　上ノ十九オ

末由美　上ノ五十二オ　同五十七ウ

末由比介留之留　下ノ五十三ウ

末女　下ノ四十二オ　同四十三ウ

末女乃毛也之　下ノ四十二オ

末比利久佐　上ノ廿八ウ

末須　下ノ廿五オ

計

介良　下ノ廿三ウ

介布利　囝　上ノ二オ

不

布祢　上ノ十オ
布保々天久佐　上ノ廿四ウ
布止年岐　下ノ四十二ウ
布止都良　上ノ卅四オ
布止　上ノ五十四ウ
布知奈　上ノ四十九ウ
布知乃美　上ノ四十七オ
布知波加末　上ノ廿二オ

布知加都良　下ノ二オ

布知乃岐　下ノ三ウ

布留岐加末古毛　上ノ四十七オ

布留岐乎久都乃之岐　上ノ五十ウ

布留毛知乃為　下ノ九ウ

布留岐与祢　下ノ四十三オ

布留支不天乃都加乃波以　標　上ノ五十オ

布加都美　上ノ廿八ウ

布加美久佐　上ノ卅二ウ

布多　下ノ廿四ウ
布多古毛利　下ノ廿オ
布多未加美　上ノ卅オ
布都久佐　下ノ卅七ウ
布都良　下ノ五十三ウ
布祢乃阿久　上ノ四十七オ
布奈江　下ノ卅二ウ
布奈　下ノ十六ウ
布久呂布　下ノ五十四ウ

布久利	下ノ十四オ
布久良	上ノ廿一ウ
布久	下ノ廿五ウ
布介留加祢	上ノ七ウ
布々岐	下ノ四十オ
布々岐	(上ノ卅一ウ 下ノ四十オ) 口卅五オ
布々岐乃美	下ノ廿九ウ
不天乃都加 団	上ノ五十ウ
布佐波之加美	下ノ一ウ

布須倍

上ノ四十六ウ

古

古　（下ノ廿九オ　同五十三ウ　同五十五ウ）

古尓也久　下ノ五十四オ

古加祢　上ノ五ウ

古奈須比　下ノ卅六オ

古牟岐　下ノ四十二ウ

己久波　下ノ卅三オ

古也須久佐　上ノ四十一ウ

古介　（上ノ十六オ　同四十五ウ　同四十七ウ）

古介	上ノ卅五ウ
己(ゴ)布(フ)尓(ニ)	上ノ十オ
古布之波之加美 [標]	上ノ五十七ウ
古阿布	下ノ十七ウ
古女	下ノ廿六オ
古之支和良乃波比	上ノ五十ウ
古美良	下ノ卅七ウ
古之	下ノ四十オ
古比留	下ノ卅九ウ

古比　下ノ十五ウ
古毛利　下ノ廿オ
古毛乃古　下ノ五十三ウ
古毛乃祢　上ノ四十二ウ　下ノ卅三ウ
古毛布都良　下ノ五十三ウ
古毛都乃　下ノ卅三ウ
古毛　下ノ四十オ
加世　下ノ廿七オ

江

衣　下ノ卅七ウ　同卅八オ

江　下ノ卅二ウ

衣也美久佐　上ノ十八オ

衣美　下ノ廿八オ

衣比　下ノ十八ウ　同廿五ウ

衣比加都良　下ノ廿八オ　上ノ四十八オ

衣比須女　上ノ廿六ウ
衣比須久佐　上ノ廿二ウ
衣比須久須利　上ノ廿二オ
衣比須久佐　上ノ卅三ウ
衣比須祢　上ノ卅三ウ

天

天良 都ゝ岐

下ノ五十四ウ

安

阿波比　下ノ十四ウ　同十七オ

阿波乃毛知　下ノ四十三ウ

阿波　下ノ四十三オ

阿良加祢　上ノ七ウ

阿良々岐　（上ノ卅三オ　同四十七オ／下ノ卅八オ　同四十ウ）

阿為乃美　上ノ廿一オ

阿為　上ノ四十五オ　〔力〕

阿為　下ノ五十四オ

阿久多年之　下ノ十八オ

阿久　上ノ四十七オ

阿也女久佐　上ノ十四オ

阿也女多年　上ノ卅三ウ

阿末岐　上ノ十五オ

阿末加須　下ノ五十五ウ

阿末多末　上ノ五十六オ

阿末尓　上ノ十三オ

阿末比古　下ノ廿二オ

阿未佐久　上ノ四十二ウ
阿未都良　上ノ廿ウ
阿未奈　上ノ十三ウ　旧廿六ウ　旧三十一オ
阿介比加都良　上ノ廿九ウ
阿布知乃美　下ノ二オ
阿布比乃美　下ノ卅五オ
阿布　下ノ十七ウ
阿布比　下ノ廿九オ　旧四十オ
阿波乃与祢　下ノ四十三オ

阿波乃宇留之祢　下ノ四十三オ
阿信多知波奈　下ノ卅二ウ
阿知末佐　上ノ五十七オ
阿知　下ノ廿五オ
阿知末女　下ノ四十三ウ
阿利久佐　上ノ廿四オ
阿利乃比布岐　上ノ卅八オ
阿乎迦都良　上ノ廿二オ
阿乎奈　下ノ卅六オ

安乎仁 ［標］ 上ノ二ウ

阿乎乃利 上ノ卅六ウ

安乎支馬乃万良 ［標］ 下ノ七ウ

阿和 ［図］ 上ノ六ウ

阿和之保 上ノ九オ

阿加都知 同ノ同

阿加岐々美 下ノ四十三オ

阿加祢 上ノ廿四ウ

阿加多末 上ノ五十一オ

阿加	上ノ六ウ
阿加阿都岐	下ノ四十二ウ
阿加奈	上ノ十六ウ
阿加佐乃波比	上ノ十ウ
安加ゝ祢 [欄]	上ノ十一オ
阿加末久佐	上ノ卅三ウ
阿都岐乃波奈	下ノ四十三ウ
阿都岐	下ノ四十二ウ
阿都佐乃岐	下ノ四オ

阿布比乃祢 [円]　下ノ卅五オ

安不良　上ノ五十二ウ

阿布岐　上ノ四十一ウ

阿布良　下ノ六オ　同九オ

阿佐美　上ノ卅五ウ　同四十四オ

阿佐ゝ　上ノ卅七オ

阿佐加保　上ノ四十七ウ

阿佐乃ミ　下ノ四十一ウ

阿岐　下ノ廿六ウ

阿岐乃布多　下ノ廿四ウ
阿由　下ノ十六オ
阿女　下ノ四十一ウ
阿之井 標　上ノ四十五ウ
阿之乃袮　上ノ四十九オ
阿之奈都奈　上ノ卅八ウ
阿之乃阿為 標　上ノ四十五オ
阿之為　同ノ同
阿之多乃乎及波比　上ノ五十ウ

左

佐波宇止　上ノ卅オ

佐波曽良　標　囗ノ囗

佐波　下ノ廿五オ

佐波曽良之　上ノ廿六ウ

佐波阿良々岐　上ノ廿三オ

佐留止利　上ノ廿九ウ

佐留加岐　上ノ廿九ウ

佐加岐乃美　上ノ四十五ウ

佐曽利　下ノ廿二オ

佐祢加都良 [標]　上ノ卅三オ

佐祢布止　上ノ五十四ウ

佐祢加都良　下ノ廿四オ

佐祢　上ノ廿四オ

佐久呂　下ノ卅二ウ　日四十二ウ

佐久　上ノ卅四オ　日四十八ウ

佐久良　上ノ五十八オ　下ノ廿オ

荼也（ザヤ）　上ノ五十八ウ

佐介　下ノ廿五オ

佐介　下ノ四十三ウ

佐ゝ久利　〔標〕　下ノ卅オ

佐ゝ介　上ノ廿三オ　下ノ四十四ウ

佐岐　下ノ十三オ

佐岐久佐奈　上ノ卅四ウ

佐女　下ノ廿オ

佐比　上ノ七ウ

支
岐

岐波多 〔切〕 下ノ三オ

岐波多 上ノ五十四オ

岐尓 上ノ六オ

岐利乃岐 下ノ四オ

岐多伊須 上ノ卅五オ

岐都祢 下ノ十オ

岐祢乃波之乃奴加 〔標〕 上ノ四十七オ

支奈留支美 下ノ四十三オ

岐良々 上ノ三オ

岐乃多介　下ノ四十ウ
木乃美ゝ　欅　同ノ同
岐乃宇都保乃美都　上ノ四十七ウ
岐美　下ノ四十四オ
岐美乃毛知　同ノ同
岐美　下ノ四十三オ
岐之　下ノ十一オ

由

由 [標]　上ノ五十五オ

由利　上ノ卅一ウ

由乃阿加　加口作和　上ノ六ウ

・由乃阿和　口ノ口

由也奈岐　下ノ三オ

女

女　上ノ卅六ウ

女波之岐　上ノ十八オ

女止久佐　上ノ十七オ

女加末　上ノ廿二オ

女加　下ノ卅七ウ

美

美　上ノ廿一オ　同四十七オ

美止利　上ノ五十五オ

美留久佐　上ノ四十二オ

美曽波岐　上ノ四十六オ

美豆加祢乃介布利　[標]　上ノ二オ

美都　上ノ四十七ウ

美都多天　上ノ五十オ

美都布々岐乃美　下ノ卅九ウ

美都加祢　上ノ五ウ

美奈　下ノ廿七ウ

美奈之古久佐　上ノ卅一オ

美良　下ノ卅七ウ

美良乃祢久佐　上ノ十六オ

美乃波　上ノ卅四ウ

美久利　上ノ卅五オ　下ノ五十二オ

美也都古岐　(上ノ五十二ウ　下ノ四オ)

三宜 [力]　下ノ廿二ウ

美ミ　　下ノ四十ウ

美ミ須　　下ノ廿三ウ

之

之呂与毛岐　上ノ十八ウ
志呂佐ゝ介 標　下ノ四十四ウ
之呂都ゝ之　上ノ四十一オ
之呂加祢　上ノ五十ウ
之呂岐阿波　下ノ四十三オ
之保　上ノ九オ　下ノ四十四ウ
之保天 標　上ノ廿四ウ
之保天　下ノ四十一オ

之留　下ノ五十三ウ
之多々美　下ノ廿七オ
之多利也奈岐　下ノ三ウ
之多都岐　下ノ五十一オ
之良尓之　下ノ廿六ウ
之良久奴岐　下ノ二ウ
之良久知　下ノ卅三オ
之良都知　上ノ九ウ
之良以之　上ノ七オ

標

之ゝ乃比呂ノ比久佐　上ノ廿八ウ

之乃祢　上ノ四十四ウ

之乃布久佐　上ノ卅五ウ

之末毛　上ノ卅六ウ

之布岐　下ノ卅九オ

之岐美乃木　下ノ一ウ

之岐　上ノ五十ウ

之美　下ノ廿三オ

之ゝ美加比　標　下ノ廿七ウ

之々乃久比乃岐　上ノ冊才

之比　下ノ冊三才

恵

恵乃美　上ノ五十四

恵美乃祢　上ノ卅三オ

恵美久佐　上ノ十三オ　日卅三オ

恵美　上ノ十三ウ

比

比呂女　上ノ卅六ウ

比波　下ノ卅オ

比波利　下ノ十二オ

比由　下ノ卅五オ

比留毛之呂　上ノ廿四オ

比留　下ノ十八ウ　日卅九ウ

比太比　（上ノ十六オ　日廿オ
日廿八ウ）

比都之久佐　上ノ卅ウ

比乃美　上ノ五十一ウ

比介　上ノ廿オ

比古　下ノ廿二オ

比衣止利　下ノ十二オ

比佐古　下ノ卅八ウ

比佐久　上ノ廿四オ

比佐古都衣　上ノ四十八ウ

比岐乃比太比久佐　上ノ十六オ

比岐乃久曽　下ノ五十四オ

比岐与毛岐　上ノ十七オ　同廿四オ

比支　下ノ廿ウ

比岐佐久良　上ノ五十八オ

比女加々美　上ノ廿三ウ

比之保　下ノ四十四ウ

比之　（上ノ十九ウ　下ノ廿九ウ

比良々岐　上ノ十八ウ

比々留乃布多古毛利　下ノ廿オ

比々良岐　上ノ卅六オ

毛

毛 (上ノ卅六ウ 下ノ五十三ウ)

毛知 (上ノ廿六ウ 下ノ十オ 下ノ四十五ウ 〃 四十四ウ)

毛知都之 上ノ四十一オ

毛奴介 下ノ廿七ウ

毛久良尓 標 上ノ五十四オ

毛久良 上ノ四十八オ

毛也之　下ノ四十六オ　同四十七オ

毛介　下ノ卅ウ

毛岐　下ノ四十二ウ

毛三　下ノ九オ

毛々　下ノ二十オ　同廿二オ（同卅一ウ　同卅六オ　同卅三オ）

毛須　下ノ五十四ウ

世

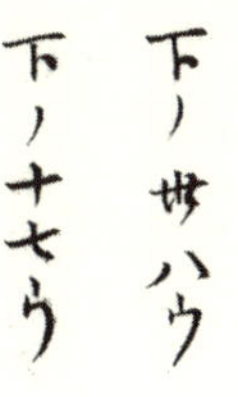

須

須須　下ノ卌四

須呂乃岐　下ノ五十五オ

須加奈　上ノ十九ウ

須牟乃利　下ノ卌一オ

須久奈比古乃　上ノ十五ウ

須久毛牟之　下ノ十八オ

須末呂久佐　上ノ十二オ

須介　上ノ十二ウ

須岐奈都女　上ノ五十四ウ
須岐乃岐　下ノ二オ
須岐　上ノ五十オ
須美礼　下ノ卅九ウ
須比加都良　上ノ十九オ
須毛々乃岐　下ノ二オ
須毛々　下ノ卅二オ
須々美乃都保　下ノ廿二ウ
須々美　下ノ十一オ

須々岐

須々久佐

下ノ廿五オ

上ノ廿一オ

【監修・解題】

梅田　径（うめだ・けい）

1984年生まれ。2016年早稲田大学文学研究科日本語日本文学コース満期退学。現在、帝京大学文学部日本文化学科講師。博士（文学）。
〈単著〉『六条藤家歌学書の生成と伝流』（勉誠出版、2019年）。『翻刻　松屋外集　巻一』（オリンピア印刷、2023年）。『翻刻松屋外集　巻二』（オリンピア印刷、2024年）。
〈論文等〉「野田忠粛『夜夢想』翻刻と解題」（『古代中世文学論考』54、新典社、2024年）。「和歌初学者へのまなざし―院政期歌学の認識とその背景―」（『緑岡詞林』48、2024年３月）。「『野田の足穂』の翻刻と解題」（『汲古』83、2023年６月）。『日露戦争と軍人の風流―『風俗画報』「征露図会」特集号における「韜略の余事」をめぐって―』（『戦争と萬葉集』5、2023年３月）。「小山田与清の子息をめぐって―与叔と清年と蔵書の関係―」（『青山語文』53、2023年３月）。「小山田与清旧蔵書のゆくえ 附〈翻刻〉早稲田大学図書館蔵『明治四拾年六月調 高田氏寄託図書目録』（『緑岡詞林』46、2022年３月）。「秘伝の行く末―歌学秘伝における思想の伝播と権威のメカニクス」（『ユリイカ 詩と批評』52－15、青土社、2020年11月）。

書誌書目シリーズ126
『諸字類集成』
小山田与清『群書捜索目録』Ｖ　第三巻

二〇二五年一月　十七日　印刷
二〇二五年一月三十一日　発行

監修・解題　梅田　径
発行者　鈴木一行
発行所　株式会社ゆまに書房
〒一〇一―〇〇四七
東京都千代田区内神田二―七―六
電話〇三（五二九六）〇四九一（代表）
印刷　株式会社平河工業社
製本　東和製本株式会社
組版　有限会社ぷりんてぃあ第二

◆落丁・乱丁本はお取替致します。

本体16,000円＋税

ISBN978-4-8433-6896-1 C3300